« Mercure du Nord »

Collection dirigée par Josiane Boulad-Ayoub, M.S.R.C.
Chaire UNESCO-UQAM d'étude des fondements philosophiques
de la justice et de la société démocratique

La collection « Mercure du Nord » se veut le point de rencontre des chemins multiples arpentés par la philosophie de concert avec les sciences humaines et sociales, l'économie politique ou les théories de la communication.

La collection est ouverte et se propose de diffuser largement des écrits qui apporteront une nouvelle texture aux défis majeurs d'aujourd'hui, passés au crible d'une nouvelle réflexivité : rouvrir en profondeur le débat sur le mégacapitalisme, sur la marchandisation et la médiatisation mondiales et tenter d'esquisser les contours d'une mondialisation alternative.

La collection ne saurait atteindre son but qu'en accueillant des textes qui se penchent sur l'histoire sans laquelle les concepts véhiculés par notre temps seraient inintelligibles, montrant dans les pensées nouvelles les infléchissements d'un long héritage.

Aussi dans cette collection

- *Discours (Le) antireligieux français du XXVIIIe siècle. Du curé Meslier au Marquis de Sade*, sous la direction de Mladen Kozul et Patrick Graille

- *Souverainetés en crise*, sous la direction de Josiane Boulad-Ayoud, Bonneville

- *Enjeux philosophiques de la guerre, de la paix et du terrorisme*, sous la direction de Stéphane Courtois

- *Analyse et dynamique. Études sur l'œuvre de D'Alembert*, sous la direction d'Alain Michel

- *La philosophie morale et politique de Charles Taylor*, Bernard Gagnon

- *La Renaissance, hier et aujourd'hui*, sous la direction de Guy Poirier

- *Mondialisation : perspectives philosophiques*, sous la direction de Pierre-Yves Bonin

- *Charles Taylor, penseur de la pluralité*, Janie Pélabay

- *Kosovo. Les mémoires qui tuent. La guerre vue sur Internet*, Chantale Quesney

- *Les grandes figures du monde moderne*, Josiane Boulad-Ayoub et François Blanchard

- *L'éclatement de la Yougoslavie de Tito. Désintégration d'une fédération et guerres interethniques*, Yves Brossard et Johathan Vidal

- *Comment l'esprit vint à l'homme ou l'aventure de la liberté*, Janine Chanteur

- *L'autre de la technique*, sous la direction de Serge Cantin et de Robert Mager

- *Rousseau Anticipateur-retardataire*, sous la direction de Josiane Boulad-Ayoub, Isabelle Schulte-Tenckhoff et Paule-Monique Vernes

L'ANTIMILITARISME :
IDÉOLOGIE ET UTOPIE

Marc Angenot

L'ANTIMILITARISME : IDÉOLOGIE ET UTOPIE

Les Presses de l'Université Laval

b247777286

Les Presses de l'Université Laval reçoivent chaque année du Conseil des Arts du Canada et de la Société de développement des entreprises culturelles du Québec une aide financière pour l'ensemble de leur programme de publication.

Nous reconnaissons l'aide financière du gouvernement du Canada par l'entremise de son Programme d'aide au développement de l'industrie de l'édition (PADIÉ) pour nos activités d'édition.

Couverture et mise en pages : Hélène Saillant

Tous droits réservés. Imprimé au Canada
Dépôt légal, 4ᵉ trimestre 2003
ISBN 2-7637-8035-0

Distribution de livres UNIVERS
845, rue Marie-Victorin
Saint-Nicolas (Québec)
Canada G7A 3S8
Tél. (418) 831-7474 ou 1 800 859-7474
Téléc. (418) 831-4021
http://www.ulaval.ca/pul

Ouvrages du même auteur

Le Roman populaire. Recherches en paralittérature, Montréal, Presses de l'Université du Québec, coll. « Genres et discours », 1975.

Les Champions des femmes. Examen du discours sur la supériorité des femmes, 1400-1800, Montréal, Presses de l'Université du Québec, 1977.

Glossaire pratique de la critique contemporaine, Montréal, Hurtubise, 1979.

La Parole pamphlétaire. Contribution à la typologie des discours modernes, Paris, Payot, 1982. Réédit. 1995.

Critique de la raison sémiotique. Fragment avec pin up, Montréal, Presses de l'Université de Montréal, 1985.

Le Cru et le Faisandé. Sexe, discours social et littérature à la Belle Époque, Bruxelles, Labor, coll. « Archives du futur », 1986.

Ce que l'on dit des Juifs en 1889. Antisémitisme et discours social, préface de Madeleine Rebérioux, Paris, Saint-Denis, Presses de l'Université de Vincennes, coll. « Culture et société », 1989.

Théorie littéraire, problèmes et perspectives, sous la direction de Marc Angenot, Jean Bessière, Douwe Fokkema et Eva Kushner, Paris, Presses Universitaires de France, coll. « Fondamental », 1989.

Mil huit cent quatre-vingt-neuf : un état du discours social, Longueuil, Éd. du Préambule, coll. « L'Univers des discours », 1989.

Le Centenaire de la Révolution, Paris, La Documentation française, 1989.

Topographie du socialisme français, 1889-1890, Montréal, « Discours social », coll. « Monographies », 1991.

Le café-concert : archéologie d'une industrie culturelle, Montréal, Ciadest, coll. « Cahiers de recherche », 1991.

L'Œuvre poétique du Savon du Congo, Paris, Éditions des Cendres, 1992.

L'Utopie collectiviste. Le Grand récit socialiste sous la Deuxième Internationale, Paris, Presses Universitaires de France, coll. « Pratique théorique », 1993.

Les Idéologies du ressentiment, Montréal, XYZ Éditeur, coll. « Documents », 1995.

La Propagande socialiste. Six essais d'analyse du discours, Montréal, Éditions Balzac, coll. « L'Univers des discours », 1997.

Interdiscursividades. De hegemonìas y disidencias, Córdoba, Editorial Universidad Nacional, coll. « Conexiones y estilos », 1998.

Colins et le socialisme rationnel, Montréal, Presses de l'Université de Montréal, 1999.

Les Grands récits militants des XIXe et XXe siècles : religions de l'humanité et sciences de l'histoire, Paris, L'Harmattan, coll. « L'Ouverture philosophique », 2000.

La critique au service de la révolution, Louvain, Peeters, et Paris, Vrin, coll. « Accents », 2000.

D'où venons-nous ? Où allons-nous ? La décomposition de l'idée de progrès, Montréal, Trait d'union, coll. « Spirale », 2001.

L'ennemi du peuple. Représentation du bourgeois dans le discours socialiste, 1830-1917, Montréal, « Discours social », 2001.

On ne fait pas de bonne littérature avec de bons sentiments. Et autres essais, Montréal, « Discours social », 2001.

La chute du Mur de Berlin dans les idéologies. Actes du colloque de Paris, mai 2001, sous la direction de Marc Angenot et Régine Robin, Montréal, Éd. Guillaume Pinson, « Discours social », 2002.

Anarchistes et socialistes : 35 ans de dialogue de sourds, Montréal, « Discours social », 2002.

Jules Guesde, ou : Le marxisme orthodoxe, Montréal, « Discours social », 2003.

La démocratie, c'est le mal, Québec, Presses de l'Université Laval, 2003.

En préparation :

Rhétorique de l'anti-socialisme. Essai d'histoire discursive, 1815-1914.

Remerciements

Je remercie le CONSEIL DE RECHERCHES EN SCIENCES HUMAINES du Canada qui a appuyé d'une subvention (« Le mal social et ses remèdes », 1995-1998 et 1998-2001) les travaux de préparation de cet ouvrage.

I

LE PACIFISME

Il n'est de plus pertinente façon de commencer une étude sur le courant antimilitariste, cette composante ou cette fraction du mouvement ouvrier en France entre le début du siècle et 1914, que de situer d'abord dans l'histoire une *autre* tradition idéologique – autre par les doctrines et autre par les acteurs – celle des pacifistes que les antimilitaristes et autres antipatriotes de la prétendue Belle Époque qualifiaient, avec un mépris condescendant, de « bourgeois ».

Le mot de « pacifisme » n'apparaît qu'en 1901 mais il se répand vite[1]. Auparavant, les ennemis de la guerre, les promoteurs du « mouvement de la paix », les partisans de « l'arbitrage » et du « désarmement » relevaient de la vaste famille des « humanitaires », – autre *type idéologique*, apparu et nommé sous la Monarchie de Juillet celui-ci, et jugé d'emblée chimérique et ridicule par les esprits pondérés et les sceptiques[2].

---

1. Grossi, 1994. Pour les ouvrages de référence – auteur, date de publication – voir la Bibliographie secondaire du présent ouvrage.

2. Reybaud, 1841.

La chose pourtant – non seulement l'opposition aux guerres et à leur cortège d'horreurs, mais le projet d'y mettre fin, d'instaurer la paix perpétuelle – remonte encore plus haut. Elle remonte au bon abbé de Saint-Pierre dont le *Projet pour rendre la paix perpétuelle en Europe* date de 1713. L'abbé proposait la conclusion d'un pacte de non-agression entre les souverains et l'instauration d'une diète européenne pour juger de leurs griefs et arbitrer entre eux. C'est ce qui allait demeurer le projet-clé, la contre-proposition de tous les pacifistes : l'arbitrage international. Car sans doute, des humanistes de la Renaissance aux libertins du siècle de Louis XIV, tous les bons esprits avaient dénoncé les horreurs de la guerre, mais ils avaient désespéré de trouver un moyen d'y mettre fin. Même Montaigne avouait qu'il y a sans doute une nécessité universelle à la guerre et il tenait encore pour l'idée romaine que la guerre exalte les vertus viriles et que la paix amollit. L'abbé, tout « rêveur » qu'on le déclare depuis bientôt trois siècles, fut le premier à concevoir, sur papier, une alternative[3].

L'abbé de saint-Pierre n'est que le premier en date des esprits philosophiques du temps des Lumières qui, au nom de la raison et de l'humanité, vont dénoncer la guerre, son horreur et son absurdité, et chercher des alternatives à opposer à cette raison ultime – *ultima ratio* – des princes. Le projet de paix universelle et de formation d'une Société des nations élaboré par Kant (1795) n'apparaît à son tour qu'une variante de plusieurs projets antérieurs de même nature. « Est-il rien qui mette plus d'obstacle à la félicité publique, aux progrès de la raison humaine, à la civilisation complète [*sic*] des hommes, que les guerres continuelles dans lesquelles des Princes inconsidérés se laissent entraîner à tout moment ? Est-il rien de plus contraire à l'équité, à l'humanité, à la raison ? », s'exclame le baron d'Holbach dans son *Système de la nature*[4].

---

3. L'abbé se souvient sans doute du rôle tenu par l'Église au moyen âge dans la « Trêve de Dieu ». Rousseau réfutera l'abbé : pourquoi les princes renonceraient-ils à leur souveraineté dans une diète où ils n'auraient qu'une voix sur vingt ? Voltaire également satirisera les songe-creux de la Paix perpétuelle.

4. *Système de la nature*, II, 112. Montesquieu complique le débat en y introduisant les notions de guerre défensive et de juste guerre.

Dès l'abord, tout est dit sous l'angle de la dénonciation, aucun argument vraiment nouveau ne viendra s'ajouter au cours du XIXe siècle. Les guerres sont, tout à la fois : – injustes (dans leur principe et dans leurs issues), étrangères au droit, barbares, absurdes et vaines (car l'Abbé de Saint-Pierre démontre tout le premier que toute guerre victorieuse s'expie et que la force reprend tôt ou tard ce que la force a procuré) et ruineuses pour les deux camps en présence. Elles sont le fait des puissants de ce monde, des princes ambitieux, les peuples n'en veulent pas et n'en sont jamais que les victimes. Il y a ainsi cinq arguments convergents, fondés en justice naturelle et en droit, en humanité, en civilisation, en raison (en bon sens et en rationalité économique) et en dénonciation des grands de ce monde, fauteurs de guerre opposés aux peuples naturellement pacifiques.

1789 marque l'arrêt de ces dénonciations rationalistes. La Révolution française n'est pas pacifique dans la mesure où elle est expansionniste. Si la République a le devoir d'apporter la liberté aux peuples opprimés, une telle doctrine justifie jusqu'aux guerres offensives pour peu qu'elles soient déclarées émancipatrices. L'idéologie républicaine conquérante sera toujours un obstacle aux progrès du pacifisme.

La difficulté même de l'idéologie pacifiste à se faire entendre a tenu à ce qu'elle était prise entre l'évidence de l'horreur des guerres pour quiconque « réfléchit » et la résistance obstinée de ce qu'on appelle le sens commun qui, tout au long du XIXe siècle, juge *malgré tout* chimérique le projet d'empêcher la guerre et celui seulement de l'humaniser. Le « bon sens » n'a pas d'objection claire à opposer, sauf une vague et honteuse idée de la nature humaine irrévocablement agressive, meurtrière et belliciste. Il dit simplement et répète par la voix de générations de journalistes : vous êtes des « rêveurs », des « utopistes », vous n'arriverez à rien. Les pacifistes le savent bien, qui répètent amèrement : nous avons évidemment raison, aucune objection raisonnable ne nous a jamais été opposée et c'est pourquoi nous passons aux yeux de la majorité inconséquente pour des *fous* (le mot de « marotte » revient dans la presse de la Troisième République pour qualifier l'action de Frédéric Passy et des siens) :

Nous sommes une bande de fous qui avons cru que la civilisation réclamait la cessation du moyen barbare des guerres, partant le désarmement et l'arbitrage international[5].

Avec la Restauration et la Monarchie de juillet, apparaissent des faiseurs de systèmes sociaux et des « sectes » réformatrices radicales qu'un néologisme (daté de 1832) qualifiera bientôt de façon globale et indécise de « socialistes ». Sortis des guerres napoléoniennes et de leurs ruines, tous ces réformateurs appellent à la paix et à un système de relations internationales basé sur autre chose que la force. Saint-Simon soumet en 1814 au Congrès de Vienne un projet de création d'un parlement européen et propose *verbatim* de développer, transcendant l'amour de chaque patrie, « un sentiment étendu qu'on peut appeler le patriotisme européen[6] ». L'idée d'une Europe confédérée – en paix avec elle-même *ipso facto* – remonte en effet aux prétendus « socialistes utopiques ».

Au-delà du projet d'une Europe unifiée, on voit apparaître aussi l'idée d'un gouvernement planétaire qui devra être dirigé par des savants ; l'idée de « former au-dessus de nos nations un gouvernement général, purement scientifique[7] », une fois énoncée, revient dans toutes les marges humanitaires et militantes du discours social du XIXe siècle. Les fouriéristes dénommaient « Omniarchie » ce gouvernement mondial ou cette sorte d'ONU dirions-nous anachroniquement, décrits par le penseur sociétaire à la même époque que Saint-Simon.

Charles Fourier apporte un nouveau contre-projet anti-belliciste, projet qui oppose de façon toute moderne (de rationalité économique) la productivité au gaspillage : non leur suppression, mais le remplacement des armées destructrices par des « armées industrielles » qui seront occupées à de grands travaux. L'idée sera reprise par ses disciples dont Victor Considerant[8], et par d'autres socialistes quarante-huitards[9]. Selon Fourier, les temps guerriers tiraient à leur fin, la paix perpétuelle serait « l'un des caractères du Garantisme ou

5. Antide Boyer (député socialiste), *Almanach de la question sociale*, 1892, p. 189.
6. 1814, 52.
7. Barlet, *Saint Yves d'Alveydre*, 53.
8. Considerant, 1850 ; Considerant, 1847, I, 25.
9. Th. Dézamy, 1842, chapitre XI.

sixième période sociale dont l'heure d'avènement » était proche[10]. C'est chez Fourier que l'emballement utopique procure les visions les plus optimistes de l'avenir. Le climat changera dès l'établissement du garantisme, Pétersbourg deviendra une ville tropicale et le Sahara sera frais et tempéré. Tous les fleuves seront canalisés, le reboisement sera général. Alors, « après le retour de l'anneau boréal et des cinq lunes », « l'oranger croîtra en pleine terre à Mayence et Paris[11] ». Chez lui, la fusion de l'humanité en un seul peuple s'accomplira dans le métissage intégral « en douze greffes croisées des races noires et blanches – et de ce raffinage sortira une humanité plus belle, plus forte, ayant une longévité double[12] ». Les gens d'esprit se sont esclaffés à la prédiction géniale et joyeuse de Charles Fourier qui, dans un passage du traité de l'*Association domestique-agricole*, prévoyait le remplacement des guerres meurtrières par des batailles de tartes à la crème : « Avant l'ouverture de la campagne, les soixante armées font choix de soixantes cohortes de pâtissiers d'élite », etc.[13].

Dans *le Voyage en Icarie* de Cabet, ce tableau d'un pays communiste idéal qui forme l'ouvrage-clé et le manifeste de l'école « icarienne », influente dans la classe ouvrière sous Louis-Philippe, il n'y a « pas d'armée, ni de généraux, ni de garde nationale en activité, ni de gendarmes, ni de sergents de ville, ni de mouchards[14] ».

Une *difficulté* apparaît à cette époque, une aporie immanente à tout projet pacifiste : pour mettre fin aux guerres, il faudra mettre hors d'état de nuire ces puissants sanguinaires et ces régimes tyranniques qui souhaitent la guerre, en vivent et ne peuvent que la fomenter. Il faudra sans doute une grande et ultime guerre pour *tuer la guerre* ! Le chef de l'école phalanstérienne, Victor Considerant, prévoit ainsi, avant la paix perpétuelle, une « dernière guerre », guerre ultime, juste et nécessaire, guerre qui éclatera, à son avis, peu après 1850 entre les despotismes et la démocratie. L'armée démocratique

---

10. *La Rénovation*, 20.5.1888, 25.

11. Publication des mss., *La Phalange*, 2 : 1848, 113.

12. Adolphe Alhaiza, *Historique de l'école sociétaire fondée par Charles Fourier. Suivi d'un résumé de la doctrine fouriériste*, Paris, La Rénovation, 1894, 87.

13. II, 459.

14. [Étienne] Cabet, *Voyage en Icarie. Roman philosophique et social*, 2ᵉ éd., Paris, Mallet, 1842, 201.

portera sur son drapeau l'inscription *Tous les peuples sont frères*, laquelle ne laissera pas de doute sur son adhésion à la religion de la fraternité. Après sa victoire promise, ce sera la paix perpétuelle entre les peuples, démocrates par essence. « La dernière guerre sera la guerre de l'*indépendance européenne*. Elle anéantira le despotisme et tuera la guerre[15]. »

On connaît peut-être un fameux poème de Lamartine, qui sera repris jusqu'en 1914 dans toutes les anthologies pacifistes et antimilitaristes, « La Marseillaise de la Paix » (1841). Si ce poème grandiloquent (où Lamartine se laisse peut-être emporter par son éloquence), a un sens cependant et s'il produit un *écart* avec ce qui s'est dit jusqu'alors, c'est qu'il substitue au paradigme originel, accepté sans difficulté par à peu près tout le monde, /princes bellicistes *vs* peuples pacifiques/, un paradigme nouveau et qui a de l'avenir, mais qui en indignera longtemps plus d'un : /patriotisme *vs* fraternité humaine/.

> Nations, mot pompeux pour dire barbarie !
> [...]
> Déchirez ces drapeaux, une autre voix vous crie :
> L'égoïsme et la haine ont seuls une patrie ;
> La fraternité n'en a pas[16].

Les suppôts du mal, dans ce poème, ce ne sont plus les seuls puissants, ce sont les peuples mêmes (bernés par les capitalistes qui « seuls ont intérêt à la guerre [...] », précisera-t-on à gauche au tournant du siècle), gangrénés de patriotisme, travaillés de cette idéologie meurtrière qui trouvera un nom, cette fois vers 1889 : le « nationalisme ». La source du mal, c'est l'idée même de *patrie*. L'extrême gauche antimilitariste de la Belle Époque, qui embrasse le rouge drapeau internationaliste et plante dans le fumier le tricolore, ne pouvait que reproduire à l'envi ce poème de Lamartine qui, dans un temps bien différent du leur, opposait déjà toute forme de patrotisme à l'amour fraternel de l'Humanité.

---

15. Considerant, 1850, 10.
16. Paru dans la *Revue des deux mondes*, 1.6.1841.

Cependant, la *dénégation* qui oppose des peuples naturellement pacifiques à des princes ambitieux et sanguinaires était trop satisfaisante moralement pour être abandonnée tout de go. Victor Hugo qui comme les hommes de sa génération et par tempérament poétique, voyait les choses de façon simple et carrée, n'en démordra jamais : « Qui veut la guerre ? Les rois. Qui veut la paix ? Les peuples. » (Ceci, répété dans une déclaration de 1877)[17].

LE PACIFISME « BOURGEOIS »
SOUS LA TROISIÈME RÉPUBLIQUE

Napoléon III en avait convaincu les jobards, « l'Empire, c'est la paix », avait-il assuré : ç'avait été la guerre partout, de l'Italie à la Crimée et enfin au désastre de Sedan. La Troisième République naît avec l'hypothèque de la Revanche : il s'agit pour les patriotes de penser toujours aux Provinces perdues – et du reste d'en parler énormément. Les années 1880-1914 sont, tout à la fois, l'époque des grandes conquêtes coloniales (et d'affrontements répétés entre conquérants), du surarmement européen, de la « montée des périls » et d'efforts diplomatiques réussis de justesse à plusieurs reprises, ... jusqu'en juillet 1914, d'empêcher une conflagration générale. Époque aussi d'affirmation des ligues patriotiques ou *patrouillotiques*, des nationalismes exacerbés, de la montée en puissance de tout ce que l'extrême gauche dénoncera comme relevant du « militarisme » et dont l'Affaire Dreyfus révélera tout le pouvoir de nuisance et les menées antidémocratiques[18]. Les progrès tangibles du pacifisme et ceux de l'antimilitarisme ouvrier vont strictement de pair avec la préparation à la guerre de la France, si évidente et si poussée à partir de 1902.

Je pense qu'il ne faut pas séparer ni isoler les ligues et associations en faveur de la paix et l'arbitrage entre les nations, d'un ensemble plus vaste qui n'a pas reçu de synthèse historique en dépit de son intérêt intrinsèque, celui des diverses formes de *philanthropies bourgeoises* tout au long du XIXe siècle.

---

17. Dans *Depuis l'exil*, déclaration du 25 mars 1877.
18. L'ouvrage de Grossi, 1994, forme une histoire très complète des pacifismes en Europe à cette époque.

On constate en effet que les mêmes personnalités à une époque donnée se retrouvent dans tous ces mouvements philanthropiques et humanitaires, parmi lesquelles on reconnaît d'infatigables réformateurs idéalistes, de célèbres dames d'œuvres et quelques « grandes consciences » de réputation européenne : – abolitionnistes de l'esclavage, abolitionnistes de la prostitution et/ou de la police des mœurs (ce qui faisait deux visées en conflit), émancipateurs de la femme de diverses obédiences et prudences, partisans de l'accession de la femme au droit de cité, divorcistes (jusqu'en 1884) et réformateurs du mariage[19], activistes anti-alcooliques, anti-tabagiques, créateurs d'associations de protection de l'enfance, de la jeune fille, des filles-mères, de sociétés des crèches, de colonies de vacances, natalistes dénonciateurs de la « dépopulation », opposés à la « fraude conjugale » et aux « menées néo-malthusiennes » (anarchistes et liées, comme on verra, à l'antimilitarisme), hygiénistes divers, « callipédistes » et autres eugénistes avant la lettre, médecins cherchant à décourager la prolificité des « dégénérés » et des « tarés héréditaires[20] », partisans de l'allaitement maternel, vaccinateurs[21], destructeurs de taudis et promoteurs d'habitations à bon marché, de cités-jardins, membres de la « Société des espaces libres et des terrains de jeu », urbanistes de diverses persuasions, fondateurs d'associations et de revues vouées à la lutte contre le paupérisme et la misère (où s'affrontaient les partisans de la charité privée et ceux de l'intervention de

---

19. Les doctrines radicales de l'Union libre, de l'amour libre, la répudiation du mariage bourgeois, cette « prostitution légale », relèvent, elles, de la mouvance anarchiste et ne touchent guère que la bohème littéraire et artistique. L'ouvrage-clé en ce domaine est *L'amour libre* de Charles Albert, Paris, Stock, 1899. Mais paraissent aussi alors les romans « scandaleux » union-libristes de P. et V. Margueritte, *Femmes nouvelles*, 1899, *Les deux vies*, 1902.

20. Par exemple parmi les premiers ouvrages en ce secteur : Paul Jacoby, *Études sur la sélection dans ses rapports avec l'hérédité chez l'homme*, Paris, Baillière, 1881. Mais on peut citer dans la préhistoire de l'eugénisme des ouvrages bien antérieurs comme : Jacques-André Millot, *L'art d'améliorer et de perfectionner les hommes, au moral comme au physique*, Paris, Migneret, 1801. 2 vol. La revue *Eugénique. Organe de la Société française d'eugénique* paraît à Paris à partir de 1913.

21. Mais il y a aussi de suspicieux Anti-vaccinateurs ligués contre eux.

l'État), de groupements prônant la participation des salariés aux bénéfices, l'épargne encouragée par l'État, les « institutions de prévoyance », les assurances mutuelles, les coopératives (et autres moyens de « résoudre la question sociale » sans grands frais et sans violence), adversaires de la peine de mort, réformateurs des prisons, organisateurs de sociétés de secours aux blessés, de sociétés de sauvetage, membres de ligues à idée fixe – ligues du pain gratuit, de la réforme de l'orthographe, de la décence des rues et de la moralité publique –, rédacteurs de publications dénonçant les falsifications alimentaires, végétariens et autres « légumistes », « amis des bêtes » et antivivisectionnistes enfin.

Cette liste qui semble accumuler des activités disparates, est cependant, autant que je puisse voir, passablement complète dans l'énumération qu'elle dresse des *principaux objectifs* philanthropiques et réformateurs des classes privilégiées du siècle dix-neuf. Elle montre qu'il y a ici un vaste domaine et en outre un réseau d'affinités qui ne sont que fort partiellement explorés. Les examiner globalement reviendrait à apprendre comment lesdites classes privilégiées – les aristocrates, grands bourgeois, académiciens, notables, grands patrons, magistrats, médecins, diplomates, « dames d'œuvres » qui se trouvèrent à la tête de ces groupements – ont perçu les maux sociaux, ont éprouvé le besoin de porter remède à certains « scandales », d'atténuer l'infortune et le malheur et, certes, dans plus d'un cas, ont eu le souci de prévenir des conflagration sociales redoutées.

De tous les activismes philanthropiques, celui qui sera par sa nature le plus proche du pacifisme, étant inspiré par un même désir de fraternité universelle et de contact entre les peuples, est la promotion des « langues auxiliaires universelles » – volapük (1879), ido, esperanto (1887) et nombreuses autres[22] – qui connaîtra un réel et

---

22. On verra par exemple, mais la bibliographie est énorme : L. de Beaufront, *L'esperanto, seule vraie solution de la langue internationale auxiliaire*, Epernay, Société pour la propagation de l'esperanto, 1901 ; Louis Couturat et L. Léau, *Les nouvelles langues internationales*, Paris, L'Auteur, 1907 ; Gustave Gautherot, *La question de la langue auxiliaire universelle*, Paris, Hachette, 1910 ; Henri Huyvet, *Le volapük ou langue universelle*, Caen, Ligue de l'enseignement, 1886 ; Charles Lemaire, *L'esperanto. Solution triomphante du problème de la langue universelle donnée par le Dr Zamenhof*, Bruxelles, Société générale d'imprimerie, 1898, etc. La plus intéressante étude récente est celle d'Umberto Eco, *La recherche de la langue parfaite dans la culture européenne*, trad. de l'ital., Paris, Seuil, 1994.

même a-t-on pu dire, un foudroyant succès au tournant du siècle tant en certains milieux « bourgeois » que chez les socialistes et anarchistes. Nous en reparlerons car sa connexité avec l'antimilitarisme est attestée.

Un nom domine le mouvement de la paix sous la Troisième République, celui de Frédéric Passy, (1822-1912), fondateur dès 1867 de la « Ligue internationale et permanente de la paix », grand propriétaire, économiste libre-échangiste, instigateur de la toujours vivante Union inter-parlementaire avec son collègue britannique W. R. Cremer, collaborateur de toutes les revues pacifistes, – grande figure européenne honorée en 1901 du premier Prix Nobel de la paix, ex-æquo avec le Suisse Henri Dunant, le fondateur de la Croix-Rouge[23].

Si nous nous plaçons vers 1890, nous voyons Frédéric Passy partout où il est question de lutte contre la guerre. Il codirige l'*Almanach de la paix* avec l'académicien et sénateur Jules Simon, périodique qui est l'organe de l' « Association des jeunes amis de la paix ». Il dirige, toujours avec Jules Simon, le bi-mensuel *Désarmement*, « pour la paix en Europe et le désarmement », revue qui porte en épigraphe : « *Toute guerre européenne ne peut être qu'une guerre civile (Voltaire)* ». Il collabore à la *Revue libérale*, de G. Morin et P. Potonié, « Organe des progressistes des deux mondes », laquelle résume son programme dans le mot d'ordre : « Liberté, Arbitrage, Paix ». Républicains, libéraux et pacifistes, ceux-ci sont aussi – comme l'est Passy et c'est idéologiquement cohérent – des libre-échangistes convaincus dans une France protectionniste. En Suisse, s'est créé en 1873 la « Ligue de la Paix » de F. Buisson qui a son journal, *Les États-Unis d'Europe*. D'autres revues humanitaires, *La Paix sociale* d'Ad. Franck et de sa Ligue anti-athée, *Le Devoir* de J.-B. Godin, le créateur du Familistère, *La Rénovation*, fouriériste, *L'émancipation, Journal d'économie politique et sociale*, de l'économiste mutuelliste Charles Gide, publient vers 1890 dans leurs pages des « Bulletins du mouvement de la paix ».

---

23. Les esprits sarcastiques avaient beaucoup ironisé sur ce prix de la paix fondé par un homme, Alfred Nobel, enrichi par le commerce de la dynamite.

D'autres groupements sont à signaler à la même époque : « la Société française pour l'arbitrage entre nations » naît en 1889 de la société fondée par Passy en 1867 ; on relève la « Société de la paix perpétuelle pour la justice internationale » ; la « Ligue internationale de la paix et de la liberté » (Gaston Moch, Mlle Julie Toussaint, Émile Arnaud) ; « l'Association internationale des amis de la paix » fondée en 1865 à Paris par M. A. Gromier et toujours active au début du XXᵉ siècle. Henri Lafontaine dirige à la même époque la « Société belge de la Paix et de l'Arbitrage ». Les délégués de tous ces groupements se retrouvent dans de successifs congrès internationaux de la paix. Un Bureau international de la Paix – il forme aujourd'hui une organisation consultative de l'ONU – voit le jour à Berne en 1891-92 sous l'impulsion d'un de ces congrès. Il s'agit d'un réseau, hautement qualifié d'« international » ou « universel » (à savoir anglais, français, allemand, suisse, belge), d'aristocrates et de bourgeois idéalistes, plusieurs issus d'une lointaine jeunesse fouriériste ou saint-simonienne.

La présence massive des protestants français mérite d'être notée. L'activisme neutraliste et arbitragiste de leurs coreligionnaires suisses contribue au phénomène de cette sur-représentation. La Croix-Rouge fondée à Genève en 1863 par Henri Dunant, ami de Passy, forme une initiative philanthropique connexe des pacifismes, et elle, vouée au succès immédiat, y compris auprès des hommes d'États. La (première) Convention de Genève visant à « humaniser » les lois de la guerre par la protection donnée aux blessés est signée en 1864.

PACIFISTES ET FÉMINISTES

La symbiose est intime à l'époque dont je parle entre le mouvement de la paix et le féminisme, – une fois encore le féminisme « bourgeois ». Déjà Prosper Enfantin, pape de l'Église saint-simonienne, avait déclaré que les femmes étaient par nature hostiles à la guerre et que les hommes pacifiques ne devaient attendre que d'elles et de leur influence dans le monde, le salut[24]. Vers 1880-1890, le féminisme

---

24. « Dieu ne vous enverra **la paix, l'ordre et la liberté** que vous cherchez en vain parmi vous, hommes, que par les **Femmes** ». [Prosper Enfantin], *Paroles du Père à la cour d'assises du Départ de la Seine le 8 avril 1833*, Paris, Johanneau, 1835, p. 25.

« modéré » est entre les mains des mêmes philanthropes, Jules Simon, Frédéric Passy, qui président au pacifisme ; ceux-ci sont actifs au « Congrès des Œuvres et Institutions féminines » de 1889 – comme, du reste, ils président honorairement des associations abolitionnistes et charitables en grand nombre. La princesse Wisjniewska (née Hugot) fonde en 1896 l'« Alliance universelle des femmes pour la paix[25] ».

Une sorte de « forme fixe » caractérise la rencontre du mouvement de la paix et des associations féminines, c'est l'*Appel aux Femmes* rédigé en style lyrique et ému, forme dont on citerait d'innombrables exemples où des dames pacifistes en appellent au « cœur des mères », où les femmes de France s'adressent à leurs « sœurs » du monde entier pour, toutes ensemble, mettre fin à la guerre, pour ne pas laisser tuer « leurs maris, leurs fils, leurs frères » :

> Nous, Femmes, nous voulons parler à nos sœurs du monde entier. Il ne peut y avoir de différences de race pour le cœur des mères[26]...

Protestations grandiloquentes qui ne débouchent jamais, et pour cause, sur aucun projet d'action concret – sinon la signature d'une pétition.

L'ARGUMENTAIRE PACIFISTE

Guerre à la guerre, tel était le slogan (il est attribué à Jules Simon) qui ornait toutes les revues du mouvement de la paix. Chacun dans ces périodiques y va de son plaidoyer contre la guerre, chacun y compose son poème, ses stances indignées contre la barbarie des guerres et leurs atrocités. Le nombre des arguments est fixe et restreint : seuls les efforts d'éloquence et de lyrisme réchauffent l'éternel retour des mêmes thèmes.

La guerre est d'abord condamnée, selon la topique du Progrès, comme un « pitoyable reste de barbarie » persistant au milieu de la civilisation qui la réprouve. « Chaque victoire de la Force est une défaite du Progrès[27] ». Dans le vocabulaire de l'atavisme, à la mode au

---

25. Une « Ligue féminine en faveur de la paix et de l'union des peuples » existait en 1889.

26. *L'Égalité*, 25.7.1889, p. 1.

27. N. Roussel, *Paroles de combat et d'espoir*, Épone, 1919, p. 23.

tournant du siècle, l'esprit guerrier est un « retour de sauvagerie an-cestrale », un « reste des âges préhistoriques », quelque chose que le progrès moral va dissoudre. L' « instinct » de meurtre que la guerre « éveille » en l'homme s'accompagne de tous les autres crimes atavi-ques du primitif qui est en nous, pillage, vol, viol, brigandage...

Dans le langage du droit, la guerre est une iniquité suprême : qui croit pouvoir prouver son bon droit par le massacre de ses voisins avec qui il a une dispute ? En quoi le meurtre de celui qui demeure de l'autre côté de l'eau est-il un acte héroïque et, de celui qui demeure de ce côté-ci, un crime horrible ? C'est la question que posait Pascal et tous paraphrasent inlassablement l'auteur des *Pensées*[28]. Tous les pa-cifistes développent leur argumentation en termes juridiques, ils prétendent inventer un droit international : « La guerre est la négation du droit, écrit le philosophe suisse et philanthrope Charles Secrétan. Le droit, c'est la paix[29]. »

Non seulement l'esprit de progrès condamne-t-il le recours à la guerre, mais celle-ci est le principal obstacle au cours *normal* du progrès, le principal risque de régression, de retour en arrière, la grande menace qui plane sur le « progrès des peuples européens ». (De même, les socialistes démontreront à leurs militants que la guerre impéria-liste est le principal obstacle, suscité *in extremis* par l'ennemi de classe, qui serait susceptible de faire échouer la Révolution). Puisque le progrès de l'humanité comporte une morale immanente – qui se substitue aux morales des religions révélées – la guerre est « impie », elle est « criminelle » et, puisque tous les hommes sont frères, elle est « fratricide ». Ce sont les trois épithètes récurrentes.

Une réorientation ou une évolution significatives de l'argumen-tation pacifiste se constatent après 1890. Elles résultent du fait que la propagande contre la guerre menaçante devient tout autant, sinon plus instamment, propagande contre l'état de chose *permanent* qu'est la « paix armée » en Europe, contre le « surarmement » croissant des

---

28. « [...] Que le meurtre, crime horrible dans la vie civile, devient une action non seulement louable, mais même belle dans la vie militaire ? ». *Almanach de la question sociale*, 1896, p. 36.
29. Charles Secrétan, *Les droits de l'humanité*, Lausanne, Payot, 1890, p. 307.

nations européennes, contre le maintien, ruineux et dangereux, d'armées et de flottes de plus en plus formidables et toujours sur pied de guerre, contre « ces armements monstrueux qui absorbent toutes les forces vives des nations d'Europe[30] ». Non seulement cet état de chose accroît-il le risque d'une conflagration inopinée, mais il est d'ores et déjà un immense « gaspillage », un détournement scandaleux de sommes énormes qui pourraient servir au « progrès social ».

« Au lieu d'construir' tant d'aéros, / Donnez du pain aux pauvres mères !... », chantera, aux applaudissements de la foule, le chansonnier pacifiste Montéhus dans les cafés-concerts d'avant 1914. L'état de paix armée est un « gouffre financier ». Il est la cause de la crise économique des années 1880-1890, crise qui, à son tour, devient un facteur d'instabilité et d'affrontements internationaux, raisonnent les pacifistes qui voient bien l'enchaînement pervers. Du seul point de vue de la rationalité des intérêts, cet état de paix armée est une « hérésie économique » qu'on s'acharne à chiffrer en milliards de francs-or : 22 000 000 000 de francs dépensés en dix ans par les gouvernements européens en armées et en flottes, de quoi fournir « des instruments et des outils à tous les habitants de la planète[31] ».

Non seulement, dépenses « improductives » en armes et munitions, mais masse de travailleurs distraits du travail productif en pleine jeunesse. Soucieux d'arrêter par amour de la France ce gaspillage ruineux et croissant, les partisans de la paix et du désarmement peuvent se dire « patriotes », – qualificatif que les va-t'en-guerre et les militaristes à l'unisson leur dénie.

Toute cette argumentation contre le gaspillage de l'armement est englobée dans la topique de l'irrationalité globale de la guerre. Ruineuse même en temps de paix, destructrice et meurtrière, la guerre ne profite jamais à personne, pas même au vainqueur dont la victoire est toujours provisoire : d'une guerre ne sort jamais une paix durable, etc.

---

30. *Almanach de la question sociale*, 1898, p. 18.
31. *Revue du socialisme rationnel*, février 1911, p. 399.

Les progrès indéniables des thèses et contre-propositions pacifistes et des institutions internationales en faveur de la paix avant
1914 sont allés, hélas, en parallèle avec la croissance inexorable des
budgets militaires. Ce qui ne manquait pas d'inspirer d'amères
réflexions peu avant la conflagration : « Chose remarquable, c'est
surtout depuis qu'on envisage la possibilité d'établir la paix universelle [...], que les nations s'arment avec le plus d'activité[32]. »

ARBITRAGE ET DÉSARMEMENT

Les pacifistes ne s'en tenaient pas à des déclamations et des
raisonnements ; ils proposaient deux projets qu'ils jugeaient concrets
et applicables : l'arbitrage et le désarmement. De l'abbé de Saint-
Pierre à Saint-Simon, les projets d'arbitrage européen abondent déjà.
Il s'agissait de *remplacer* la force par la justice et le droit ; d'imposer
aux États ce qui s'imposait, dans les États policés eux-mêmes, aux
individus qui ne sont pas juges de leur propre cause et ne règlent plus,
depuis la fin des temps barbares, leurs litiges par la violence. Il s'agissait
de substituer le Droit à « l'anarchie internationale ». Cette *substitu-
tion* relevait de la *logique du progrès* laquelle tire des étapes passées
de l'avancement de la civilisation la nécessité « logique » d'une étape
prochaine. La suppression de la guerre (ou la raréfaction du recours à
la guerre) devait résulter de la création d'un droit là où les différends
internationaux se réglaient par la violence dans le *vide juridique*.

Cette vision d'une étape juridique à franchir, qui est, en effet,
une vision de juristes et de diplomates, en dépit d'applications heu-
reuses et de progrès concrets comme l'instauration de la Cour
permanente d'arbitrage de La Haye en 1899[33], est sans doute apparue

---

32. *Revue internationale du socialisme rationnel*, février 1913, p. 412.
33. La conférence de la paix de La Haye en 1899 a adopté une Convention pour le
règlement pacifique des conflits internationaux, traitant de l'arbitrage en même temps
que de bons offices et de médiation. Quelques arbitrages internationaux ayant abouti
antérieurement, comme celui de 1872, États-Unis *vs* Grande-Bretagne, avaient servi
de modèle. Dans une première étape, il n'était instauré qu'un greffe et un secrétariat
permanent. Les parties d'un litige éventuel pouvaient choisir dans une liste de magistrats désignés chacuns par les États contractants. La seconde Conférence de la paix de
1907 améliorera les règles d'application. Il n'y a pas à La Haye avant 1914 un vrai tribunal avec des magistrats internationalement désignés et n'ayant pas d'autre occupation,
les puissances n'étant pas parvenues à se mettre d'accord sur un mode de désignation.

passablement ésotérique à l'opinion en général et à l'opinion militante populaire spécialement – trop pour convaincre et pour enthousiasmer. Technique et ésotérique, elle l'est : on compte par dizaines les ouvrages savants, érudits, informés, chiffrés qui traitent de l'arbitrage entre 1880 et 1914 : tous visent un public très compétent et spécialisé, – si possible abonné à la *Revue des Deux Mondes*. La doctrine arbitragiste ne pouvait mobiliser que des notables, des avocats, des politiciens et des diplomates qui se représentaient assez précisément – quelque évaluation qu'ils fissent *in petto* des obstacles et résistances à surmonter – comment des gouvernements « civilisés » pourraient négocier l'institution d'instances d'arbitrage et avoir intérêt à le faire et à les respecter. L'arbitrage international a été en tout cas la grande proposition de Frédéric Passy, réexposée dans tous ses articles pendant quarante ans.

Dans son principe, elle était simple. L'arbitrage, c'était « La paix par le droit ». Le remplacement de la violence barbare, des « boucheries » intermittentes, par des discussions entre États civilisés avec les bons offices de puissances neutres dans le conflit. Qui ne fût tombé d'accord ? Les avantages de la création d'un droit international fondé sur l'arbitrage obligatoire étaient évidents. À mesure que le recours à la force se ferait moins menaçant, les nations réduiraient la course aux armements, elles réinvestiraient les revenus gaspillés dans de grands travaux utiles et pacifiques et, une fois occupées à ces tâches progressistes, oublieraient de chercher noise à leurs voisins. La délétère logique belliciste s'inverserait.

Dans le détail pourtant, qui intéressait les juristes et les politiques, l'arbitrage était un casse-tête. Ou plutôt, il emportait avec lui toutes sortes de conséquences nouvelles, obscures ou redoutables. S'il s'était agi simplement de trouver un lieu neutre où les princes et leurs diplomates seraient invités à négocier, à exposer leurs griefs, à trouver des compromis plutôt que de masser des troupes aux frontières, c'eût été relativement simple. Mais les compromis que pouvaient faire les gouvernements en fonction de leurs intérêts bien compris, serviraient-ils la volonté des peuples ? Pouvait-on, une fois qu'on avait accepté de négocier, laisser *les peuples* en dehors, ou bien n'étaient-ils pas nécessairement parties prenantes de tout règlement juste et durable ? Dans une Europe avec son Alsace-Lorraine, sa « poudrière balkanique » et autres « poudrières » d'Europe centrale, dues à l'agitation des questions nationales, n'allait-il pas falloir consulter *aussi* les peuples, pouvait-on laisser aux seuls diplomates le soin de redessiner les frontières ?

Derrière l'arbitrage, se dessinait ainsi la question épineuse du « droit des peuples ». « La Paix par le Droit » semblait impliquer ou comporter aussi le droit des peuples à disposer d'eux-mêmes. Après de multiples annexions et rectifications de frontières, après tant de traités signés par les seuls hommes d'État autour de tapis verts et loin des foules, les peuples seraient pour la première fois consultés sur leur destinée. La notion de « plébiscite » se profile derrière celle d'arbitrage international. Les esprits attachés aux seuls « principes » ne voyaient aucune difficulté et vous organisaient tout ceci inflexiblement :

> Dans tous les pays annexés depuis moins de cinquante ans, les populations seront invitées à dire à quelle nationalité elles veulent appartenir[34]...

Les Messieurs de Norpois, diplomates prudents, voyaient bien qu'en dépit du caractère congénitalement pacifique allégué des « peuples », cette multiplication de plébiscites frontaliers portait en elle autant et plus de risques de conflit généralisé que les cyniques calculs des états-majors et les projets expansionnistes des princes !

Quant aux « patriotes », ils demandaient aux pacifistes, indignés d'avance de la réponse qu'on leur ferait : que ferez-vous de l'Alsace et de la Lorraine ? La rendrez-vous à la France ? La réponse des arbitragistes qui consistait à parler d'un referendum de « libre disposition » pour le « peuple alsacien-lorrain », indignait les patriotes comme l'eût fait un blasphème. En fait, les pacifistes avaient fait leur deuil des provinces perdues ; soucieux de stabilité en Europe, ils voyaient l'Alsace-Lorraine de l'avenir comme un État neutre, un « État-tampon » entre les deux grandes puissance continentales, ils lui attribuaient un « rôle de conciliation entre deux grandes nations[35] », mais le chauvinisme exacerbé rendait les mérites de leur projet peu recevables de l'opinion cocardière.

---

34. Résolution du Congrès socialiste international de Zurich, 1893, point 2°.
35. *Almanach de la paix*, 1889, p. 23.

Au bout de la logique de l'arbitrage et de l'instauration d'un droit international, se trouvait le désarmement, multilatéral et négocié (quelques tolstoïens parleront de « désarmement unilatéral », mais on atteint ici ou on dépasse la limite du *pensable* pour le début du XXe siècle).

Dès 1840, le désarmement est présenté comme « une solution » ultime par les fouriéristes : on a vu que ceux-ci prônent le remplacement des armées destructrices par des « armées industrielles[36] ». Tous les pacifistes et les socialistes leur emboîtent le pas, présentent le désarmement comme l'aboutissement de leur projet et la garantie ultime de la paix définitive.

Les tolstoïens auxquels je viens de faire allusion, adeptes de la non-violence, confessant le principe dit chrétien « ne résiste pas au méchant », ne furent guère qu'une poignée[37]. Les anarchistes chrétiens de *L'Ère nouvelle* (1901-1939) sont les seuls représentants un peu visibles avant guerre de cette doctrine non-violente – et ils sont infiniment éloignés du pacifisme de notables que je décris ici[38]. Du reste, leurs seuls contacts sont en Hollande, en Angleterre... Dans la nébuleuse anarchiste, où les révolutionnaires violents ne manquaient pas, la doctrine de non-violence avant 1914 est elle-même marginale ; elle va avec le végétarisme, la « vie simple », le manuélisme. Elle n'est pas loin de ce courant anarchiste aujourd'hui oublié, antimoderniste, antitechnologique (avant la lettre), écologiste qui s'appelait « naturien » ou « sauvagiste[39] ». L'idée de non-violence se répand un peu dans le public vers 1910, à travers le commentaire de Tolstoï, l'exemple des Doukhobors transmis par la presse, les théories de Rama-Krishna et d'Abbas Effendi en Perse.

---

36. *La Phalange*, 10.9.1841.

37. *Le salut est en vous* de Tolstoï est traduit chez Perrin en 1894.

38. *L'Ère nouvelle* [devenu *Hors du troupeau*, devenu *Les Réfractaires*, devenu *Pendant la mêlée*, etc.]. Paris, mai 1901-... 1939.

39. Voir : André Lorulot, *La vie nomade*, Paris, L'Anarchie, 1911[?] ; Tchandala et Achille Le Roy, *Le naturisme libertaire devant la civilisation*, Paris, Libr. de propag. soc. internat., 1903 ; Auguste Trousset, *Civilisation et naturianisme*, Paris, Dujarric, 1906 ; Henri Zisly, *Rapport sur le mouvement naturien. Réflexions sur le naturel et l'artificiel*, Paris, L'Auteur, [vers 1900].

LES ENNEMIS DES PACIFISTES

J'ai évoqué la résistance sourde et têtue que le « bon sens » – et, concrètement, les journaux, de la presse à un sou à la presse distinguée – opposèrent un siècle durant aux thèses pacifistes. Les objections fondamentales se ramènent aussi à une courte liste : la guerre est un « fait éternel », un « fait de nature », il est vain de vouloir la supprimer, on ne sort pas de là. Il en va de même du patriotisme qui a « toujours existé » et existe partout. La guerre et le progrès, la civilisation vont de pair, ajoutent les hommes *profonds* : sans la guerre, l'homme en serait encore à l'âge des cavernes.

Il y avait des ennemis déterminés et organisés des thèses et des entreprises pacifistes. Les patriotes pour qui l'intérêt de la France primait toute autre considération ne se privaient de désigner les pacifistes comme de mauvais Français qui « travaillaient au désarmement moral de la France[40] ». Si la nation est la valeur suprême, – et elle l'est, de Joseph de Maistre à Barrès et Maurras, – les déclamations humanitaires agacent suprêmement ; elles apparaissent même à plus d'un comme criminelles. La terre, les morts, la coutume, les traditions sont des vérités charnelles qu'on oppose aux billevesées de la fraternité humaine. La survie de la France et sa défense ne relèvent ni de la « morale », ni de la « justice », mais d'une nécessité naturelle (car les nations *sont* des faits de nature) : ce sera l'axiome de la doctrine maurrassienne.

C'est le vieil académicien Émile Faguet, le plus mordant des essayistes réactionnaires vers 1900, qui va dire son fait au pacifisme et à ses « illusions » dans une discussion serrée qui reprend toutes les objections patriotiques et « realpolitiques » : on lira son essai, *Le pacifisme*, Paris, SFIL, 1908[41].

Quant à la droite antisémite, elle démontre depuis toujours que les pacifistes, tout comme les antimilitaristes socialistes, sont les instruments, jobards ou corrompus, d'un complot juif international, ou « judéo-allemand », visant à affaiblir la France[42].

---

40. C'est l'accusation fulminée par la Ligue de la Patrie française vers 1900.

41. On lui doit aussi une dévastatrice critique des programmes socialistes : *Le socialisme en 1907*, Paris, SFIL, 1907.

42. Voir par exemple sur ce thème, A. de Boisandré, *Socialistes et Juifs, la nouvelle Internationale*, Paris, Librairie antisémite, 1903.

Mais il est un autre courant intellectuel encore hostile par principe au pacifisme comme d'ailleurs à toutes les idées philanthropiques : il est composé de ces savants, médecins, naturalistes, économistes qui à la *Liberté, Égalité, Fraternité* des rêveurs idéalistes répondent au nom de la science positive : *Déterminisme, Inégalités congénitales, Lutte pour la vie* – et dont les idées et leur application à la société trouvent une étiquette vers 1880 : le « darwinisme social ». Ils ont tiré certaines choses des thèses de Darwin et transposent à la vie sociale et aux luttes entre les peuples le « struggle for life » et la règle du « survival of the fittest ». Ils sont aussi disciples de Malthus, de Haeckel, de Gobineau, de Herbert Spencer (il y a des chapitres entiers de l'œuvre du sociologue anglais déblatérant contre la « sotte philanthropie »), de Ludwik Gumplowicz et de son *Rassenkampf*, de sa lutte des races comme philosophie de l'histoire[43], et d'autres anthropologues raciaux justifiant la guerre en ces termes. Patriotes français, ils haïssent peut-être le chancelier Bismarck, mais au fond ils sont bien d'accord avec sa formule cynique : « la force prime le droit ». Ils sont « natalistes », se désolent de la dépopulation qui fait de la France malthusienne « un pays de célibataires et de fils uniques », légifèrent pour l'augmentation des naissances et la criminalisation des menées contraceptives – et ils ne se cachent pas de vouloir fournir à la patrie la « chair à canon » qui lui permettra de vaincre dans la lutte entre races européennes, inévitable et prochaine.

Ils prétendent montrer chimérique, fallacieux, contraire à l'observation scientifique, tout ce sur quoi repose l'activisme pacifiste : l'aversion prétendue des hommes pour la guerre, les dispositions fraternelles des peuples, la possibilité d'une entente entre les nations, entre les « races » européennes, l'idée même que la paix, et non la guerre, virile, héroïque et régénératrice, soit favorable au progrès. Car eux aussi *croient* au progrès, mais c'est un progrès dans la lutte, et notamment la lutte perpétuelle entre les « races », et pour la sélection du plus apte à l'échelle planétaire. La guerre assure cette « survie du

---

43. *La lutte des races, recherches sociologiques*, trad. de l'all., Paris, Guillaumin, 1893.

plus apte », seule valeur *morale* immanente au cours du monde. La guerre est cruelle, elle est sanglante, certes, mais la vie n'est pas un concours de vertu et de douceur. Les pacifistes, les humanitaires, les philanthropes n'évoquent jamais que le « droit du plus faible », cette expression a-t-elle le moindre sens ? Dans le monde réel, seuls les forts ont des droits parce qu'ils sont seuls en mesure de les imposer.

De leur point de vue, le pacifisme est une doctrine néfaste – et plus encore que néfaste, elle est, démontrent-ils abondamment, *psychopathologique*. Les médecins et psychiatres de ce groupement social-darwiniste diagnostiquent volontiers en effet chez les pacifistes et tous les autres philanthropes, une disposition névrotique sentimentale morbide accompagnée d'une sorte de déficit de vitalité. Cohérent avec le principe du *survival of the fittest*, Gustave Le Bon préconise la suppression de « la funeste race des philanthropes » dont les initiatives charitables contrecarrent la sélection naturelle[44]. Cesare Lombroso démontre concurremment que la philanthropie est une forme de névrose[45]. Tous sont des descendants de Malthus qui condamnait l'exercice irréfléchi de la charité, de la bienfaisance laquelle, bien loin de soulager le mal, l'aggrave en encourageant l'imprévoyance et qui recommandait de fermer les asiles, les orphelinats, de laisser faire la nature. L'idée que toute forme de philanthropie est *un mal*, qu'elle est en fait le mal social par excellence, remonte avant les premiers écrits de Darwin : ce sont les malthusiens radicaux des années 1830-1840 qui, en se basant sur la Loi de la population, démontrent les premiers que la bienfaisance est le mal social par excellence. Elle produit l'effet pervers de maintenir sans profit à charge de la société les tarés et les bouches inutiles[46].

---

44. *Psychologie du socialisme*, p. 464.
45. *Anarchistes*, p. xii.
46. Pour le catholique authentique, la condition morale de l'homme s'explique par la Chute, il est « déchu ». Sous l'emprise du péché originel, esclave de ses passions, il faut le tenir en bride, c'est l'affaire de la société, avec ses bagnes et ses échafauds, et non laisser libre cours à sa prétendue « bonté » naturelle. L'homme est enclin au mal et la terre est un séjour d'expiation. Il n'existe pas de remède pour venir à bout de la misère (et souvent la misère est le fruit du péché, de l'inconduite et elle est sa punition immanente), c'est ce que tous les essayistes catholiques répètent au XIXe siècle tant à l'adresse des socialistes qu'à celle des pacifistes et des philanthropes (et peut-être que, si cela ne se dit plus nulle part aujourd'hui, c'est qu'il n'y a plus de vrais catholiques !)

Le mépris pour ce qu'on voit de « sentimental », de peu « viril » dans le pacifisme s'étend bien au-delà des seuls réactionnaires et social-darwinistes attestés. Il en est une version de gauche. On ne peut oublier que P.-J. Proudhon, moraliste plébéien, de loin le plus influent des penseurs socialistes français, avait fait dans un livre fameux l'éloge de la guerre, source de vertu virile et de *beauté morale*. « La guerre dans laquelle une fausse philosophie, une philanthropie plus fausse encore, ne nous montraient qu'un épouvantable fléau, [...] est l'expression la plus incorruptible de notre conscience[47]. »

Les antimilitaristes et autres syndicalistes-révolutionnaires dont nous parlerons aux chapitres III et suivants, ont pratiqué Proudhon et ils ne sont nullement des *pacifiques* par tempérament. Leur hostilité à l'armée et à la guerre s'appuie sur une tout autre logique que celle que nous avons vue à l'œuvre jusqu'ici : une logique de lutte de classes, de « guerre sociale ».

---

47. *La guerre et la paix*, Paris, Lacroix, 1869.

II

L'INVENTION DE L'HUMANITÉ

L e courant pacifiste n'est que l'une de ces idéologies « humanitaires », avons-nous dit, qui se développent dans la société française de la Restauration à la Grande guerre sur la ruine des charités religieuses. « Humanitaire » est un de ces mots nouveaux qui vers 1830 se trouve en concurrence sémantique, avec beaucoup de flou, avec deux autres : « progressiste », et, daté de 1832, le néologisme « socialiste ». « Humanitaire, en style de préface, veut dire : homme croyant à la perfectibilité du genre humain, et travaillant de son mieux, pour sa quote-part, au perfectionnement dudit genre humain », ironise Musset dans un petit écrit daté de 1836[1]. Car le militantisme humanitaire, l'« humanitairerie » [Musset 1838], l'« humanitarisme » [Flaubert 1871] deviennent, aussitôt apparus, pour les esprits rassis comme pour les littérateurs sceptiques, un objet de raillerie inépuisable.

L'invention de l'humanité : c'est un sujet dont je ne ferai ici qu'esquisser l'historique et décrire la topique. Le *sujet* du Grand récit du progrès, on l'oublie trop, c'est l'Humanité. Diverses études récentes sur l'idée de progrès ne mettent pas en valeur le fait, essentiel, que

---

1. Musset, *Deuxième lettre de Dupuis et Cotonet*, 1836, 853, cité par J. Dubois, *Vocabulaire*, p. 316.

tous les prédicats de ce discours sur le progrès « indéfini », la perfectibilité, l'évolution par stades, la disparition promise et fatale des vices sociaux et la fin eudémonique de l'histoire ne sont là que pour *rendre raison* d'un sujet dont le visage se dessine et narrer sa « marche en avant », – l'Humanité.

L'Humanité comme *sujet* et *destinataire* des systèmes historiques totaux, post-religieux, tel est le noyau doctrinal commun aux saint-simoniens, aux phalanstériens, aux icariens et autres communistes de la Monarchie de Juillet, à Pierre Leroux, à Colins de Ham et à Constantin Pecqueur, à Victor Hugo comme à Auguste Comte. C'est le grand fétiche idéologique indivis des hommes de bonne volonté du XIXe siècle[2]. Dieu avait fait l'homme a son image ; le siècle positiviste tire de l'homme « empirique » un avatar transcendant qu'il substitue à l'image de Dieu. Le Christ avait été crucifié pour le salut du genre humain, le siècle moderne allait montrer le genre humain réalisant son salut ici-bas – accomplissement, scientifiquement établi désormais, des Lois de l'Histoire. D'ailleurs, Auguste Comte le théorisera *verbatim* : le christianisme n'avait fait que « préfigurer » le concept positif d'Humanité.

Ce nouveau paradigme, les philosophes des Lumières l'avaient dégagé et mis peu à peu en place, mais ce sont les doctrinaires « humanitaires » du romantisme qui vont inscrire l'humanité dans des systèmes historiques totaux, tandis que les mouvements sociaux nés de la révolution industrielle inscriront leur critique de l'injustice ordinaire qui opprime les misérables sous l'invocation de l'Humanité et de ses droits. Devenue objet d'une religion scientifique avec le vieux Comte – l'Apostolat positiviste ou « Religion de l'Humanité », – elle devient également un de ces « mots » avec lesquels des hommes modernes ont été préparés à mourir. « Vive l'humanité ! », tel fut le dernier cri de Jean-Baptiste Millière fusillé pendant la Semaine sanglante.

---

2. Tandis que d'autres, il est vrai, pas seulement Gobineau mais tous les anthropologues, les darwiniens, ou presque, s'afforcent de classer les divisions de l'espèce humaine et de mesurer ses inégalités.

Auguste Comte a formulé en 1852 le *Catéchisme positiviste* d'une Religion de l'humanité, mais le projet en était dans tous les esprits progressistes depuis le règne de Charles X. « La religion peut-elle être autre chose que la théorie de la loi de l'humanité ? [...] La science religieuse est donc la plus étendue des sciences puisqu'elle les résume toutes. La seule religion est celle que la science ne peut ébranler... » Phraséologie typique des quarante-huitards[3]. L'humanité, c'est ce qui leur permet de parler de fraternité, égalité, socialisme : « On aime Dieu dès qu'on aime l'humanité. On la sert dès qu'on pratique la fraternité[4]. »

Que dit le discours « humanitaire », depuis Condorcet qui est sa source première[5] ? Que l'homme est peut-être ceci et cela « par nature » (qu'il possède des « droits naturels »), mais plus encore qu'il est moralement « perfectible » et que cette perfectibilité « est réellement infinie » ; que l'humanité, depuis ses origines sauvages et barbares, « progresse » invinciblement et irréfutablement, et que, du tableau de ses progrès immenses et à peu près réguliers jusqu'ici – en dépit de décadences contingentes –, on peut extrapoler une « loi » prédictive et conclure « que la nature n'a mis aucun terme à nos espérances[6] ».

Les romantiques reçoivent d'enthousiasme « cette foi en la perfectibilité humaine qui nous pousse en avant et ne permet jamais à une génération de se reposer sur les travaux de la génération qui l'a précédée ». Ainsi s'exprime le communiste Richard Lahautière en 1841[7]. Le but de chaque vie humaine est de contribuer à cette marche en avant, en communion avec tous les morts illustres qui ont servi le progrès de l'Humanité.

---

3. Charles-Henri Lecouturier, *La cosmosophie, ou le socialisme universel*, Paris, L'Auteur, 1850, p. 18.

4. Constantin Pecqueur, *Théorie nouvelle d'économie sociale et politique, ou Étude sur l'organisation des sociétés*, Paris, Capelle, 1842, I, p. 21.

5. Marie Jean Antoine Nicolas de Caritat, marquis de Condorcet, *Esquisse d'un tableau historique des progrès de l'esprit humain*, Paris, Agasse, an III.

6. Condorcet, éd. 1822, p. 258.

7. Richard Lahautière, *De la loi sociale*, Paris, Prévot, 1841, p. 3.

La « Religion du progrès » : c'est celle de M. Homais, si vous voulez ; mais c'est aussi celle de Victor Hugo, moins voltairien que le pharmacien d'Yonville-l'Abbaye, mais partageant la même « foi » et la même grandiloquence : « Sachez-le bien, celui qui nie le progrès est un impie, celui qui nie le progrès nie la Providence, car providence et progrès, c'est la même chose[8]. »

Le sujet véritable du récit du progrès, ce ne sont pas les hommes, pas même les grands hommes, c'est, au-delà de leur succession contingente, l'Humanité, le « Grand Être » comtien qui accomplit sa « destinée ». Le XIXe siècle a déchiffré cette destinée, il voit et démontre d'où nous venons et où nous allons en une « irrésistible progression » dans laquelle s'absorbent les heurs et les malheurs du petit homme individuel, des générations et des peuples. Le récit du progrès est centré sur la *métaphore de l'homme unique*. Comte l'a trouvée chez Pascal qui a ce titre préfigure le discours de la modernité :

> Toute la succession des hommes, pendant la longue suite des siècles, doit être considérée comme un seul homme qui subsiste toujours et qui apprend continuellement[9].

L'Humanité est donc *un être*, un Grand être collectif composé de la multitude des êtres individuels qui ne sont eux-même que l'humanité en germe ou en parcelle. Cet être grandit de génération en génération comme un seul homme évoluant dans la succession des âges, obéissant à une loi de développement – qui a nom « Progrès ». Il forme une « grande unité collective, composée des morts et des vivants où viennent se synthétiser toutes les consciences, tous les sentiments » des humains qui ont passé ici-bas[10]. Dans l'ontologie humanitaire du siècle positiviste, l'homme-individu n'existe que comme « parcelle » contingente d'un Être réel dont la vie résulte de l'énergie psychique

---

8. *Avant l'exil 1841-1851*, Paris, Michel-Lévy, 1875, p. 388.

9. Cité par Comte, *Cours de phil.*, VI, 186 et alibi. Les doctrinaires romantiques « substantialiseront » cette intuition en adhérant en grand nombre à la doctrine palingénésique : « Sous un certain rapport, le genre humain pourrait être considéré comme le même individu passant par une suite de palingénésies ». Ballanche, *Œuvres*, III, p. 16.

10. Louis de Tourreil, *Religion fusionienne, ou doctrine de l'universalisation réalisant le vrai catholicisme*, Tours/Paris, Juliot, 1879, p. 230.

totale des générations humaines. L'homme n'est pas un atome isolé, il est « un anneau » dans une chaîne immense. On ira jusqu'à dire que l'homme individuel n'est au fond « qu'une pure abstraction », c'est l'Humanité qui est la réalité concrète, – ce que dogmatise Comte renversant les apparences[11]. On ne définira plus dès lors l'humanité par l'homme, mais l'homme-individu par son rôle dans/pour l'Humanité.

Les religions révélées promettaient fallacieusement une sanction ultravitale du bien et du mal et la survie de l'âme individuelle, la science moderne comporte encore une promesse d'éternité, mais elle est « rationnelle », immanente à ce monde terraqué : « Chaque homme est immortel dans l'humanité et n'est immortel que par l'humanité et en elle[12]. » Pour Jean-Jacques Rousseau, le citoyen n'était et ne devait avouer être qu'une « parcelle » du Peuple souverain ; les humanitaires et les socialistes de 1830 *étendent* somme toute cette conception au genre humain entier dans la succession des temps. Prosper Enfantin, qui fut le pape de la Religion saint-simonienne, prêchait ce nouveau dogme, « votre vie personnelle participe de la vie universelle[13] ».

Il résulte directement de cette ontologie collective une éthique : l'individu ne peut connaître d'autre bonheur légitime que de « contribuer au progrès de l'humanité », de l'aimer et de se dévouer pour elle. Les hommes ne sont plus créés à l'image de Dieu, mais ils sont tous « frères » en humanité, et les vivants communient avec les morts qui furent jadis ou naguère « progressistes » dans l'accomplissement d'une Destinée unique. Nous sommes au cœur d'une religion de l'immanence, au cœur de la « gnose » moderne théorisée et étudiée par Erich Vœgelin[14].

---

11. *Cours de philosophie posit.*, VI, p. 636.

12. Lahautière, *De la loi sociale*, Paris, Prévot, 1841, p. 28.

13. Prosper Enfantin, *La vie éternelle passée, présente, future*, Paris, Dentu, 1861, 3. Et Pierre Leroux : « Chaque être humain est un être réel dans lequel vit, à l'état virtuel, l'être idéal appelé Humanité » (*Aphorismes*, Boussac, Leroux, 1848, p. 9).

14. Eric Vœgelin, *Les religions politiques*, Paris, Cerf, 1994. Traduction de *Die politischen Religionen*, Wien, Bermann-Fischer, 1938. Voir aussi : *Science, Politics, and Gnosticism*, Chicago, Regnery, 1968 (traduction de *Wissenschaft, Politik und Gnosis*). Eric Vœgelin a caractérisé l'essence de la modernité comme tenant à l'apparition et aux progrès de « gnoses » élevant, dans un monde privé de transcendance, ce qu'il nomme un *Realissimum*, une Idole plus-que-réelle, – l'État, la Production économique, la Science, la Race et le Sang, la Nation, la Classe et sa mission. Les « religions politiques intramondaines » *déplacent* la transcendance en construisant en ce monde

De telles idées trouvent leur expression accomplie dans la philosophie de Comte, synthétisant des idées esquissées par Turgot et Condorcet, systématisées en doctrine historique par son maître renié, Saint-Simon et par les autres prophètes romantiques. Le progrès forme une « évolution » (le mot est aussi fréquent chez Comte que « progrès ») *par stades*, avec des états successifs atteints puis dépassés et des transitions difficiles comme l'est la « Grande crise occidentale », entamée en 1789, où le retour à l'ordre organique se fait attendre – crise au cours de laquelle pourtant le progrès de la pensée positive a été décisif. Réduite en un catéchisme, la doctrine comtienne se ramène à une « formule sacrée : *L'Amour pour principe ; l'Ordre pour base ; le Progrès pour but*[15] ». « Le progrès n'est que le développement de l'ordre » : autre *mantra* de Comte qui écarte de sa vision historique l'anarchique esprit « révolutionnaire ». Il peut y avoir eu du bon dans les anciens régimes sociaux, et Comte admire l'unité organique du moyen âge, – mais ces états de société ont été détruits par un développement naturel et fatal, tout retour vers le passé est impraticable et toute doctrine de réaction se condamne elle-même en s'énonçant.

La raison gouverne le monde – thèse commune à Hegel et Comte, et le monde devient de plus en plus rationnel en évoluant vers le mieux[16]. L'histoire conduit ainsi rationnellement au Règne de l'humanité. Le progrès s'accomplit suivant des lois démontrables, scientifiques, dont la principale chez Comte est la « Loi des trois états » qui montre la progression de la connaissance humaine en une succession de trois *épistèmé* (l'anachronisme s'impose) : religieuse, métaphysique et positive, la dernière étant ultime et indépassable. Mais englobant le secteur de la connaissance humaine, le développement de l'humanité, son « destin » écrit Comte, est sujet aussi à des lois inaltérables qui transcendent les volontés individuelles et qui déterminent la succession des états de société (le marxisme ajoutera : ...des modes de production).

---

une hiérarchie des choses et des êtres surmontée par un Plus-que-réel. Comme aux idoles des temps barbares, divers « boucs émissaires » devront être sacrifiés au Plus-que-réel tandis que des « hommes nouveaux », rééduqués, seront entraînés à le servir et connaîtront par là le bonheur.

15. *Catéchisme*, éd. 1891, p. 55.

16. « Et par conséquent gouverne l'histoire universelle ». Hegel, *Die Vernunft in der Geschichte*, Meiner 1955, p. 87.

Le sujet de ce récit, de cette historiosophie, se nomme « le Grand Être », l'humanité, certes, mais alors la seule humanité *progressiste*, « l'ensemble des êtres passés futurs et présents qui concourent librement à perfectionner l'ordre universel[17] ». Nous devons aimer l'humanité comme une mère. Nous devons nous soumettre à l'autorité des morts. La République occidentale organisera le culte systématique des « grands hommes » qui ont éclairé la marche de l'humanité : les positivistes adoptent un calendrier concocté par Comte, qui honore les héros du progrès humain de Moïse à Lavoisier[18].

Le progrès est une marche vers une perfection, si on veut, mais en termes plus exacts, il est une progression vers l'« état normal » de l'homme, émancipé des misères et des ignorances du passé, aboutissement *prouvé* par les avancées partiellement accomplies, – état, enfin, qui par tout ceci, sera indépassable. Le devoir-être du monde est un dévoilement de l'essence humaine : c'est du Hegel (et du jeune Marx), c'est identiquement l'idée fondamentale comtienne.

Comte n'avait guère de patience pour les révoltes désordonnées et les agitations sociales. Sa philosophie exprime au contraire une immense aspiration au retour à l'ordre après la grande désorganisation de 1789. « Le positivisme apparaît donc comme un vaste système social dont la civilisation, depuis son origine, a préparé l'établissement[19]. » De même les sciences, émancipées de la croyance religieuse puis de la conjecture métaphysique, aboutissent à la « sociologie », – synthèse de toutes les autres sciences et « science de l'Humanité, qui comprend tout et résume tout[20] ».

Si certains disciples, comme Émile Littré, ont regimbé devant le virage religieux de Comte vieillissant et n'ont pu consentir à sacrifier au culte de Clotilde de Vaux, le projet d'une Religion de l'humanité, avec des cérémonies et un clergé, un dogme et une morale prescriptive, mais sans la moindre « croyance surnaturelle », était la pente naturelle de la pensée dite positiviste ; elle n'a pas manqué de la suivre[21].

---

17. *Système de politique positive*, Paris, Mathias, Carilian-Gœury & Dalmont, 1851-1854, III, p. 30.

18. *Discours sur l'ensemble du positivisme*, Paris, Carilian-Gœury, 1848, p. 99.

19. Alexi-J.-Armand Mieulet de Lombrail, *Aperçus généraux sur la doctrine positiviste*, Paris, Capelle, 1858, p. 107.

20. Émile Littré, *Conservation, révolution et positivisme*, Paris, Ladrange, 1852, p. 63.

21. Culte qui subsiste aujourd'hui dans la maison du n° 5 rue Payenne à Paris, « métropole religieuse de la planète humaine ».

VARIATIONS DE L' « IDÉE » DE PROGRÈS

En dehors des systématisations philosophiques nées avec Turgot et Condorcet et dont Comte offre la forme accomplie, l'invocation du « progrès » – conçu comme loi générale de l'histoire et prédiction de l'avenir lumineux qui attend l'humanité – est de tous les discours dans leur diversité, elle est sur toutes les bouches comme une *évidence* – évidence à partir de laquelle s'inscrivent les dissensions, les nuances et réserves, et même les mises en doute, l'affrontement de conjectures contraires, celles de la décadence, de la dégénérescence... Le progrès du genre humain est un axiome, une fondation solide à partir de laquelle chacun au cours du siècle construit des spéculations diverses et antagonistes :

> Ainsi nous découvrons partout le progrès, dans la formation des mondes, dans le développement de l'individualité, dans l'histoire de la race humaine. Si cette observation n'a pas pour nous le caractère d'une démonstration mathématique, elle a du moins celle d'une induction presque irrésistible. [...] On peut dire dès à présent que l'affirmation du progrès sera la synthèse de l'avenir[22].

Le progrès-axiome dans sa version exotérique de « catéchisme scolaire républicain » peut conclure naïvement à l'excellence définitive de l'état des choses accompli, mais les critiques militants, insatisfaits de l'ordre présent, puiseront aussi dans *l'évidence* des progrès passés, leur confiance dans l'avenir meilleur – et leur certitude d'une évolution désormais accélérée qui apportera incessamment de nouveaux « progrès » :

> Le monde n'est pas beau assurément, mais le monde du passé, le monde d'il y a cent ans seulement, était mille fois plus abominable que le monde tel qu'il se comporte aujourd'hui[23].

La doxa des gens cultivés interprète précisément dans ce simple cadre axiologique la théorie darwinienne et la place de l'homme dans l'évolution – c'est-à-dire qu'elle la mésentend totalement. « L'existence

---

22. Louis Cortambert, *La religion du progrès*, New York, Marcil, 1874, p. 149-151.
23. Édouard de Pompery, *Blanquisme et opportunisme. La question sociale*, Paris, Ghio, 1879, p. 18. E. de Pompéry est un doctrinaire social venu du fouriérisme.

d'un lézard, écrit typiquement Edmond About, est meilleure, absolument parlant, que celle d'un cloporte. L'animal est plus complet, mieux doué, plus fini. [...] Aucun être vivant n'a les organes de la pensée aussi développés, aussi parfaits, aussi indéfiniment perfectibles que le pire d'entre nous[24]. » L'homme n'a pas été créé tout d'une pièce par un *fiat* divin, il s'est « dégagé » peu à peu de l'animalité pour les modernes post-religieux : il est ainsi le seul « animal progressiste ». Les museums d'Europe à la fin du siècle vont faire voir en leurs vitrines – encore une fois à l'évidence des yeux – le progrès, linéaire, des industries lithiques des « premiers hommes » : acheuléen, chelléen, moustérien, solutréen...

La transposition de l'évolution biologique à la civilisation se fait tout naturellement dans cette pensée simple. Edmond About enchaîne en une prosopopée adressée aux heureux humains de son temps (le culte positiviste des grands morts trouve son écho ici) : « Tous les biens dont vous jouissez aujourd'hui, vous les devez à l'effort héroïque des hommes qui vous ont précédés en ce monde. [...] Pas un homme intelligent qui ne se sente lié par des fils invisibles à tous les hommes passés, présents et futurs[25]. » L'histoire du passé devient histoire de l'émergence de l'état présent des choses et, par transposition, l'analyse de la conjoncture présente consiste à montrer un reste de maux sociaux éradicables – *donc* appelés à disparaître prochainement. Le progrès est une *démonstration* : il est une preuve de l'avenir par le passé.

Ainsi, le culte de l'humanité découle-t-il de ces *évidences* qui inspirent invinciblement une *foi* en son avenir : « Où s'arrêtera le progrès, si notre activité se soutient encore un siècle ? Qui oserait limiter les espérances de l'avenir ? » Et le bourgeois conservateur qu'est About, pris d'enthousiasme, épouse un instant la gnose socialiste en s'écriant : « On croit encore aujourd'hui qu'il y aura toujours des riches et des pauvres. Le temps fera justice de ce préjugé égoïste et décourageant[26]. » Le culte de l'humanité se confond avec

---

24. Edmond About, *Le progrès*, Paris, Hachette, 1864, p. 14-19.
25. p. 27 et 31.
26. p. 56.

l'espérance illimitée dans son avenir et induit un criterium moral pour le présent :

> Examinez la vie des sociétés modernes. Contemplez avec attention leur lutte contre l'ignorance et le mal, leur effort vers le mieux. Vous n'aurez pas besoin d'autre spectacle pour développer en vous le sens bienfaisant de l'admiration[27].

Le progrès est ici résolu en un devoir de l'homme envers l'humanité, et puisque l'avenir radieux est fatal en dépit des maux sociaux actuels et des obstacles mis par les suppôts du passé, ce devoir est d'*accélérer* le cours des choses : « Nous croyons [...] que l'homme doit tout sacrifier au progrès et à l'impérieuse nécessité de hâter l'époque de l'unité humaine et de la fraternité[28]. »

SOLIDARITÉ DES PROGRÈS

Le paradigme du progrès est un dispositif gigogne. Les progrès s'enchaînent et se favorisent les uns les autres, admet-on, et les progrès matériels induisent des progrès spirituels – tandis que le *raisonnement* des progressistes va des secteurs les plus évidents de progressions, ceux des progrès scientifiques et techniques, aux plus discutables et aux plus diversement compris et souhaités, ceux des progrès « moraux » et civiques – dont la limite, aussitôt atteinte par la conjecture des optimistes, sera l'éradication prochaine de tous les maux sociaux et le règne définitif de la justice.

L'homme a renversé l'ordre divin, il a mis la connaissance avant les révélations et les dogmes. Le progrès de la science, la glorieuse marche de la raison, confirment la nature rationnelle de l'humanité et prouvent que c'est des conquêtes de la rationalité que le genre humain doit ses bonheurs présents et devra son bonheur futur. La science présente déjà un « bilan » tout positif. Le XIXᵉ siècle, ce « siècle des merveilles[29] », a eu le sentiment de vivre, grâce à la science, une métamorphose accélérée et totale : « un homme mort il y a cin-

---

27. Paul Bureau, *La crise morale des temps nouveaux*, préf. de A. Croiset, Paris, Bloud, 1907, p. 1-2.

28. *Moniteur républicain*, 8 (1838).

29. *L'Ère nouvelle*, 1.5.1889, p. 4.

quante ans, revenant à la vie aujourd'hui, trouverait la terre méconnaissable[30] ». On évoque dans ce contexte, presque automatiquement, les deux « grandes découvertes », la vapeur et l'électricité qui « ont apporté dans la vie de l'humanité plus de changements qu'il ne s'en était produit depuis l'origine de l'ère chrétienne ».

La science est au service de l'humanité ; qui se met à son service, sert donc le genre humain : ce syllogisme a été la consolation morale de tous les savants de l'autre siècle. Instruit d'abord dans une religion révélée, le jeune savant se convertit à la foi nouvelle : « je rejetai la foi religieuse et je la remplaçai par la foi au progrès de l'humanité », écrit Alfred Naquet, chimiste, fils de rabbin d'Avignon, né en 1848 à la foi républicaine[31]. La science a « émancipé » les hommes de l'« esclavage de la nature », elle va « régénérer » leur morale, elle leur explique les lois de l'évolution et les guide dans la voie du progrès. « La loi du progrès, observée d'abord dans la marche des sciences exactes[32] » va pouvoir, dans une argumentation typique, par induction, s'*étendre* à toute l'histoire humaine.

Jusqu'ici je n'ai fait que dégager la *pars construens*, la version optimiste du progrès. Le nœud de dissension du paradigme du progrès, son point de décomposition, point où le consensus général fait place, dès le début du siècle et en allant croissant, au brouhaha des conceptions antagonistes – ce qui fait qu'après tous les enchaînements de convictions que je viens de faire voir, on pourrait aussi soutenir que *le XIXᵉ siècle n'a pas (vraiment) cru au progrès* – consiste, une fois même observée et admise une certaine solidarité des progrès dans le passé pour une humanité partie, tant moralement que matériellement, de « bien bas », consiste, dis-je, à savoir si les progrès matériels dont personne ne doute qu'ils continueront, ont entraîné, entraînent fatalement des progrès « moraux », s'ils entraînent l'humanité vers la

---

30. A. Bocher, *Les progrès modernes. Importance de leur rôle dans le présent et dans l'avenir*, Paris, Ollendorff, 1894, p. 2 et 1.

31. Alfred Naquet, *Temps futurs. Socialisme, anarchie*, Paris, Stock, 1900, chap. I.

32. Charles Duveyrier, *La civilisation, les conditions de son enfantement et de ses progrès*, Paris, Claye, 1865, p. 17.

perfection et vers le « bonheur ». Et particulièrement en ce XIXᵉ siècle où se constatent les « étonnants » résultats des recherches scientifiques et des travaux industriels. En ce point et sur cette opposition
obscure, mais elle aussi évidente à tous, du « matériel » et du « moral »,
éclatent les désaccords, les doutes, les dénégations, les indignations.
Ici s'inscrivent tous les programmes militants et tous les élans réformateurs, des philanthropes bourgeois aux socialistes, aux féministes
– aux pacifistes aussi, typiquement indignés de voir la science mise au
service de la barbarie belliqueuse.

Auguste Comte, encore lui, avait théorisé la *solidarité des progrès*
en une « échelle fondamentale » : progrès matériel, puis physique
(santé, longévité), puis intellectuel, enfin progrès moral et social. Pour
les réformateurs romantiques, seul ce dernier comptait et était la
preuve mise sur la somme : Constantin Pecqueur définit le progrès
comme « l'ascension continue vers le vrai, le bien et le bon[33] ». C'est
justement de cette asymptote morale que le siècle en avançant va
douter de plus en plus. Car le doute vient de toute part, des critiques
de la misère industrielle, avec Buret, Sismondi, Villeneuve-Bargemont
et bien d'autres, des socialistes dits plus tard « utopiques » et de leurs
successeurs dits « scientifiques », mais aussi de toutes les disciplines
savantes, des médecins de l'hérédité et de la dégénérescence, des
statisticiens du paupérisme, de la criminalité, du suicide, des critiques
de l'industrialisation effrénée et de l'« appétit de jouissances », de tous
ceux, publicistes et moralistes d'innombrables obédiences, qui crient
casse-cou dans tous les journaux et à toutes les tribunes – qui dénon-
cent les « progrès » ...de la dette publique, de la prostitution, des maladies « honteuses », des suicides, de la pornographie et de la « licence
des rues », des aliments chimiques et des falsifications alimentaires,
des accidents industriels, des nervosismes et des détraquements, du
morphinisme et des drogues – et du reste tremblent aux « progrès »
dans le peuple des idées socialistes et révolutionnaires, ces « funestes
utopies » qui peuvent être fatales à la civilisation... Mon livre sur *1889,
un état du discours social*[34] est consacré à montrer l'hégémonie de
ces angoisses devant l'à vau-l'eau général dans l'opinion lettrée de la
« fin-de-siècle ».

---

33. [Constantin] Pecqueur, *De la république. Union religieuse pour la pratique
immédiate de l'égalité et de la fraternité universelles*, Paris, Charpentier, 1844, p. 162.
34. Éditions du Préambule, 1989.

En somme, comme le dit naïvement un positiviste de la Belle Époque, « la poursuite de l'amélioration morale » est « le plus grand et le plus difficile de tous les progrès[35] ». C'était peu dire, c'était plutôt de montée irrépressible des périls et de crainte cauchemardesque de décadences fatales qu'il eût fallu parler. L'idée que les progrès techniques sont antagonistes de progrès moraux était là *depuis toujours* dans la pensée progressiste puisqu'elle était la thèse même de Rousseau : le « progrès des sciences et des arts » contribue à « corrompre les mœurs »...

Y avait-il, concomitant au progrès technique, un progrès démocratique et social ? Quel critère lui appliquer ? S'il est un axiome unificateur ici – mais il n'opère qu'avec beaucoup de dissidences et de réserves, même chez les « progressistes » – c'est qu'il tiendrait à une progression sociale de *l'égalité*. (L'idéologème antagoniste est ici celui du progrès du *bien-être* et de la *sécurité* ; les deux logiques interfèrent, mais s'accordent mal). De l'aristocratie à la démocratie républicaine, une fois encore, la démonstration consistait à reporter sur la prévision pour l'avenir la « leçon » du passé : les privilégiés de la fortune passeraient comme avaient passé les privilégiés de la naissance avec 1789.

L'humanitarisme, pris au sens large, est cette foi laïque et ce mandat d'avoir à contribuer pour sa modeste part aux « progrès sociaux ». Prenons en main une revue de bourgeois à la conscience civique, les *Documents du progrès*, fondée en 1907. Excellent exemple d'un progressisme d'ailleurs réellement novateur, mais situé au cœur de la légitimité sociale. La revue se divise en sections tous azimuts : « Progrès politiques », « Féminisme », « Évolution économique et sociale », « Mouvement ouvrier », « Progrès scientifique » – et bien entendu le « Mouvement de la paix » n'y est pas ignoré. *La sociologie pratique*, née en 1890, était une revue toute semblable qui prône d'un numéro à l'autre, le droit au travail, les secours mutuels, le volapük et l'esperanto, le mouvement de la paix et l'arbitrage, la « colonisation pacifique », l'abolition des articles du code qui discriminent les fem-

---

35. E. de Lacombe, *La maladie contemporaine, examen des principaux problèmes sociaux au point de vue positiviste*, Paris, Alcan, 1906, p. 22.

mes, l'abolition de la police des mœurs, la prison humanitaire, l'alpha-bétisation, l'aéronautique, le vélocipède... Nul n'a encore systémati-quement analysé cet imaginaire philanthropique qui a cherché, en dehors des violences plébéiennes et des doctrines extrêmes, à tirer pour la classe dominante (ou pour sa fraction dominée), les consé-quences pratiques de l'idée de progrès.

Je ne mentionne qu'au passage – parce que sur cet activisme les ouvrages historiques ne manquent cette fois pas – dans la foulée du progrès humanitaire, le mouvements d'abolition de l'esclavage et ses grandes figures, l'abbé Grégoire, Victor Schœlcher...

HUMANITÉ ET PROGRÈS CHEZ LES SOCIALISTES

Louis Reybaud, contempteur des socialistes romantiques[36], avait prétendu faire la différence entre les « humanitaires », ces songe-creux dont les rêves se muaient fatalement en cauchemars sociaux en s'em-parant de l'imagination aigrie des mécontents, et les « philanthropes », esprits généreux et pratiques qui, en créant des crèches, des salles d'asile, des dispensaires, des écoles d'apprentissage, des colonies pour l'« enfance coupable », en patronnant les habitations ouvrières, les cités-jardins, les sociétés de secours mutuel, les caisses d'épargne, les sociétés de tempérance, renforçaient la Société et lui permettait de progresser au lieu de la miner. *Distinguo* polémique, mais aussi sociologiquement essentiel. La même foi dans le progrès de l'huma-nité anime ceux qui, selon la devise de Comte, veulent à la fois *Ordre et Progrès*, et les révolutionnaires qui pensent que les lois de l'évolu-tion historique doivent entraîner la ruine de l'ordre social inique et la naissance d'une société nouvelle fondée sur la justice.

La chose nommée « socialisme », légitimée d'abord sous forme de « religion de l'humanité » par Saint-Simon et son disciple Comte, par Pierre Leroux, par Colins de Ham et les autres prophètes roman-tiques, s'était redéfinie comme « science de l'histoire » après 1851 et

---

36. Louis Reybaud, *Études sur les réformateurs socialistes modernes*, Paris, Guillaumin, 1841. Rééd. 1848, 1856 (6ᵉ), II, chap. V.

c'est la manière dont Engels en 1877 canonisera la pensée de Marx. « Si nous voulons trouver les causes déterminantes, écrit Engels dans *L'anti-Dühring*, de telle ou telle métamorphose ou révolution sociale, il faudra les chercher non dans la tête des hommes, non dans leur connaissance supérieure de la vérité et de la justice éternelles, mais dans les métamorphoses du mode de production et d'échange. » La structure économique d'une société forme « la base réelle » de tous les changements qui s'y opèrent, et non les idéaux de justice[37]. La principale découverte de Marx, selon Engels, c'est le déterminisme économique : c'est elle qui fait sortir le socialisme de l'utopie pour l'établir sur le terrain des faits... quoiqu'elle redise en termes censés positifs ce que disaient les utopistes humanitaires en termes sentimentaux – à savoir que cette société capitaliste, ploutocratique, concurrentielle (Blanc), individualiste (Leroux) etc., ne pouvait plus durer et qu'une société juste et fraternelle allait prochainement s'établir sur ses ruines. La rencontre inattendue entre la Justice idéale et les tendances aveugles de la fatalité économique, entre la critique matérialiste de l'histoire et l'eschatologie révolutionnaire, c'est, à mon sentiment, ce qu'il y a de « système » chez Marx. Or, c'est justement ici qu'Engels va légitimer le caractère « scientifique » de cette œuvre. « Deux grandes découvertes, la *conception matérialiste de l'histoire* et la révélation du mystère de la production capitaliste au moyen de la *plus-value*, nous les devons à Karl Marx. Elles firent du socialisme une science ». [Italiques d'Engels dans *L'anti-Dühring*.] L'œuvre de Marx est déclarée scientifique non seulement pour s'être dotée d'une méthode digne des sciences, mais aussi parce qu'elle a abouti à deux découvertes, expérimentales, démontrables, auxquelles ses prédécesseurs, handicapés par leur approche spéculative et par leur immaturité théorique, n'avaient pu parvenir.

Certes le socialisme dans la diversité de ses « sectes » sous la Monarchie de juillet et de ses « partis », blanquiste, guesdiste, possibiliste, allemaniste, communalistes, etc., des années 1890 à 1905,

---

37. Dans ses *Manuscrits philosophiques* (p. 29, cit. H. Maler, *Congédier l'utopie*, p. 131), il oppose les utopiques d'avant qui cherchaient l'« application de la morale à l'économie » et la démarche scientifique qui part d'une observation attestée, « la ruine qui se consomme sous nos yeux » du MP capitaliste. Ce passage me confirme que le **déterminisme** est au cœur de la conception du scientifique chez Engels.

se présente, et ce depuis ses origines, comme une topographie polémique, un brouhaha de programmes en conflit. Ce qui les unifie, c'est une vision du progrès comme devant apporter le bonheur dans l'égalité. Constantin Pecqueur le formule dans les années 1840, « l'égalité des conditions sera le résultat lent mais certain, du progrès de la moralité générale[38]... » Le communiste Pillot, fort loin de la religion républicaine de Pecqueur, confirme cette commune vision : « l'égalité absolue a été l'objet des constants efforts de l'humanité, quoiqu'elle ne l'ait jamais, avant notre époque, ni comprise, ni formulée[39] ». Et Pierre Leroux à son tour : « *Égalité*, ce mot résume tous les progrès accomplis jusqu'ici par l'humanité ; il résume toute la vie passée de l'humanité, en ce sens qu'il représente le résultat, le but et la cause finale de toute la carrière déjà parcourue[40]. » Trois citations concomitantes qui font voir que dans le discours socialiste émergeant dans toute sa diversité, *égalité* et *humanité* s'appellent toujours l'un l'autre. C'est fort de cette logique que le mouvement ouvrier naissant formule la tautologie triomphante : le socialisme, voilà le progrès. « Comme le progrès est la loi de l'Humanité, le socialisme qui est l'agent du progrès est le grand praticien de la loi fondamentale de l'Humanité[41] ».

Ainsi, le socialiste, devenu matérialiste et scientifique, continuera à confesser imperturbablement une religion (déniée) de l'humanité, sa « foi ardente, indéfectible au progrès continu, indéfini de l'espèce humaine[42] ». Si la lutte des classes fait s'affronter bourgeois et prolétaires, exploiteurs et exploités, ceux qui crèvent d'indigestion et ceux qui crèvent d'inanition, le militant socialiste voit bien au-delà de la

---

38. Constantin Pecqueur, *Théorie nouvelle d'économie sociale et politique, ou Étude sur l'organisation des sociétés*, Paris, Capelle, 1842, p. x.

39. Jean-Jacques Pillot, *La communauté n'est plus une utopie. Conséquences du procès des communistes*, Paris, L'Auteur, 1841, p. 11.

40. Leroux, *Revue sociale*, 1 :1845, p. 4. Il ajoute en clé très quarante-huitarde : « C'est pour que l'esprit humain arrivât à cette notion que Socrate et Jésus sont divinement morts. »

41. Charles-Henri Lecouturier, *La cosmosophie, ou le socialisme universel*, Paris, L'Auteur, 1850, p. 21.

42. Eugène Fournière, *L'idéalisme social*, Paris, Alcan, 1898, p. 24.

guerre sociale actuelle, et il prétend défendre simultanément dans ses luttes « les intérêts de la classe ouvrière, ceux de l'Humanité et ceux de la Civilisation[43] », – intérêts identiques en dernière analyse, puisque le prolétariat porte en lui « l'avenir de l'Humanité ». « Chose de progrès, par conséquent chose socialiste[44] » : Adolphe Bonthoux confirme l'équation de jadis, l'humanité future sera socialiste ou ne sera pas. Jaurès en choisissant le titre du journal du Parti unifié, *L'Humanité*, confirmait aussi cet idéalisme « révolutionnaire » (et il démarquait délibérément la naissante SFIO des belliqueux titres « de classe » antérieurs : *Le Cri du Peuple, La Guerre sociale, Le Prolétariat, Le Parti ouvrier...*).

DES PATRIES À L'HUMANITÉ

J'en reviens aux pacifistes. C'est sur le grand vecteur commun des progrès de l'Humanité que le mouvement de la paix et toute critique humanitaire de la guerre et du bellicisme inscrivent tout naturellement leur logique propre. Lisons un positiviste :

> L'Humanité partie d'une organisation sociale qui reposait sur le théologisme et la guerre, s'est avancée peu à peu d'elle même vers une organisation nouvelle à laquelle elle semble près d'aboutir aujord'hui et qui sera fondée sur la science et l'industrie[45].

On a pu ironiser sur le *topos* à tout faire du « Sens de l'histoire » dans le marxisme orthodoxe, mais, on le voit ici, le sens de l'histoire est le grand argument et la grande justification prospective de *toutes* les pensées qui formulent leur critique sociale au nom d'une espérance, d'un avenir assuré. Alors que les théocraties, les absolutismes, les obscurantismes reculent, la guerre, l'esprit guerrier qui devraient reculer aussi sont d'ultimes « survivances » que les sociétés futures, guidées par la science et animées par la fraternité universelle,

---

43. *Tribune russe*, Paris, 31, 1, 1907, p. 1.

44. V.-Adolphe Bonthoux, *L'évangile socialiste. Volume I : La question économique*, Paris, Giard & Brière, 1912, p. 22. Lequel spécifie plus haut : « le progrès indéfini est la loi du monde et l'homme est son œuvre » (19). La phraséologie ni la forme de pensée n'ont guère changé depuis le début du siècle précédent.

45. E. Bombard, *La marche de l'humanité et les grands hommes d'après la doctrine positive*, Paris, Giard & Brière, 1900, p. 1.

élimineront. Les esprits les plus éloignés des grands systèmes dits
« révolutionnaires » puisent cependant leur raison d'être dans la
certitude d'aller *dans le sens*, quel qu'il soit, de l'histoire. Lisons un
économiste libéral du Second Empire, ardent polémiste contre le
socialisme, mais pacifiste convaincu. Lui aussi justifie son action
contre la guerre et pour l'arbitrage international par la *certitude venue
de l'avenir* :

> L'établissement d'un état de paix permanent entre les nations civilisées
> réside dans la substitution d'une assurance collective de leur sécurité
> extérieure au régime de l'assurance isolée. [...] Le moment ne peut être
> éloigné où la nécessité de ce progrès s'imposera au monde civilisé[46].

Qu'il s'agisse de pacifistes bourgeois ou d'antimilitaristes prolétariens, le même raisonnement général se dégage : la division de
l'humanité en nations, en patries est la cause des guerres et, si l'humanité doit connaître un jour la paix universelle et vivre dans la fraternité, les nations devront « disparaître ». Absurde pour la raison
(« plaisante justice qu'une rivière borne »), la nation a quelque chose
de barbare en soi. Seuls quelques « minorités agissantes » iront jusqu'à
l'antipatriotisme actif et déterminé. Mais le bourgeois pacifiste mais
patriote doit le concéder, quoiqu'en des termes plus spéculatifs : les
humains « un jour » auront dépassé l'idée de patrie, les patries se
« fondront » dans l'Humanité fédérée. De sorte que le mouvement
de la paix va au bout de cette logique en s'identifiant parfois comme
« Mouvement vers la paix universelle et l'Unité des peuples[47] ».
J'examinerai le passage du raisonnement militant à l'utopie à la fin de
cette étude. Les gens rassis reprochaient aux humanitaires de se payer
de mots, mais ceux-ci le leur rendaient bien. « La patrie, un mot, une
erreur ! L'humanité, un fait, une juste vérité », lit-on dans une revue
« rouge » de 1871[48].

46. Gustave de Molinari, *Esquisse de l'organisation politique et économique de
la société future*, Paris, Guillaumin, 1899, p. 47.

47. *La Rénovation*, fouriériste, 1889, p. 122.

48. J. Nortag, *Rev. polit. et soc.*, 16.4.1871.

Dans le syndicalisme révolutionnaire, on ira aussitôt et d'un bond au bout de cette logique qui ne demandait qu'à se radicaliser : antimilitarisme et antipatriotisme seront rendus inséparables. Or, périsse la patrie avec le militarisme s'ils sont inséparables ! L'humanité était quelque chose encore à naître ; la révolution prolétarienne en abolissant les frontières allait la faire devenir la réalité de l'avenir. Ici encore, à quelques nuances de phraséologie, les révolutionnaires de la Belle Époque partageaient l'espérance des vieilles barbes utopistes de 1848. L'humanité « est la société réelle, en opposition aux sociétés accidentelles que nous appelons *nationalités* », définit le colinsien Louis de Potter[49].

---

49. [Louis-Joseph] de Potter, *Dictionnaire rationnel : les mots les plus usités en sciences, en philosophie [...]*, Bruxelles, Schnée, 1859, p. 151.

III

L'ANTIMILITARISME DANS
LE MOUVEMENT OUVRIER

L es antimilitaristes prolétariens et les pacifistes bourgeois
de tout temps furent à couteaux tirés ou, à tout le moins,
sourds les uns aux autres, incapables de s'entendre. Les
pacifistes, assurent certaines brochures révolutionnaires, n'ont d'autre
but que de « faire diversion » à la permanente « guerre économique »
menée par les capitalistes et d'égarer les ouvriers. Dans le meilleur
des cas, c'est-à-dire quand il ne dénonce pas dans le pacifisme une
cynique manipulation de la classe dominante, le socialiste considère
avec un sourire méprisant ces messieurs âgés, bien pensants et repus,
qui vont disserter d'arbitrage européen dans les palaces de quelque
ville d'eau helvétique. Le Prix Nobel de la Paix, créé par un million-
naire suédois « hypocrite » enrichi par le commerce de la dynamite,
la très aristocratique Conférence de la Paix de La Haye (1903) convo-
quée à l'initiative, *inter alii*, de Nicolas II Romanov, les chimères de
l'arbitrage obligatoire entre puissances de proie impérialistes, tout
ceci faisait « bien rigoler » le militant ouvrier. Les pacifistes bourgeois,
dit le marxiste Jules Guesde, sont une « poignée de braves gens » qui
cherchent la quadrature du cercle et ignorent que la guerre est
inhérente au capitalisme et qui, prétendant y substituer l'arbitrage

obligatoire et autres chimères ; ils relèvent, de l'avis de Guesde, « de Charcot[1] ». Il suffisait de faire confiance au parti, en concertation avec les partis frères de l'Internationale.

L'antimilitarisme, c'est tout autre chose : c'est une stratégie révolutionnaire qu'une large part de l'extrême gauche va juger, dans les douze années environ qui précèdent la conflagration mondiale, seule rigoureuse, efficace et conséquente. Il s'agit de miner la société capitaliste en affaiblissant, en démoralisant sa principale institution défensive, l'armée. Sous prétexte de défendre la patrie, le régime capitaliste s'appuie sur celle-ci pour écraser les exploités : du massacre de Fourmies[2] (1er mai 1891) à ceux de Narbonne et de Raon-l'Étape (juillet et août 1907), l'armée française avait donné au prolétariat la confirmation répétée de cette thèse.

Pour les anarchistes qui pénètrent en masse le syndicalisme CGT au début du siècle, l'armée est avant tout « l'école de la servitude » ; elle « abrutit » le prolo, elle détourne l'exploité des luttes sociales. Le conscrit est entraîné au régiment à s'adapter à la société autoritaire et il devient impossible après de faire de lui un révolté. La caserne est aussi « l'école du crime » puisque l'ouvrier « inconscient » y apprend à tirer sur ses frères.

Mais plus fondamentalement, la thèse qui conjoint antimilitarisme et socialisme révolutionnaire en un bloc face à un ennemi unique, c'est que *le capitalisme, c'est la guerre* – dès lors, l'armée, l'institution capitaliste par excellence. Jean Jaurès même l'a dit – lui si souvent exaspéré par les excès de langage et l'aventurisme des autoproclamés « antipatriotes » de la SFIO – en une image jugée saisissante, qui est répétée à satiété : « le capitalisme porte la guerre comme la nuée porte l'orage ».

Dans cette vision des choses, l'armée, institution capitaliste par excellence, est ce qu'il faut chercher à abattre *d'abord* si le socialisme et/donc la paix doivent triompher. La paix, intérieure ou extérieure,

---

1. Jules Guesde, *En Garde*, p. 177 (= 1892).
2. Ici se conclut pour certains la connexion de l'antimilitarisme à l'antisémitisme. Édouard Drumont a démontré dans son livre le plus lu par les socialistes que le massacre de Fourmies a été voulu par deux Juifs, le sous-préfet d'Avesne et le préfet du Nord, désireux de tester le fusil Lebel sur les femmes et les enfants du peuple ! Voir Édouard Drumont, *Le Secret de Fourmies*, Paris, Savine, 1892.

est impossible sous un régime économique ayant pour base et pour règle la concurrence et l'exploitation de l'homme par l'homme. Une grande guerre européenne « arrangerait » plutôt les capitalistes des divers pays : elle ferait reculer les acquis sociaux, elle ferait s'entretuer les prolétaires au profit des barons de l'industrie. Elle risque d'apparaître un jour à la bourgeoisie aux abois comme le dernier recours en vue d'empêcher la révolution prolétarienne.

Enfin, *pars construens* de ce raisonnement, le mouvement révolutionnaire mondial, l'Internationale, unissant les socialistes par-delà les frontières, peut se mettre en mesure de s'opposer à la guerre capitaliste : elle peut notamment se préparer à répondre à la mobilisation par une grève générale insurrectionnelle simultanée. Le prolétariat, organisé à travers les frontières, est capable d'*empêcher* la guerre, et seul il y a intérêt. La révolution prolétarienne ne pourra se déclencher avec succès le jour venu que si l'armée est démoralisée et minée de l'intérieur. Tous les arguments convergeaient.

Or, le courant antimilitariste – qui s'identifie *grosso modo* à la frange radicale appelée en France le « syndicalisme révolutionnaire » – se convainc vers 1907-1908 d'être en passe d'accomplir sa tâche de démoralisation et de désorganisation de l'armée, se sentant confirmé du même coup d'être seul conséquent avec le projet socialiste, « sans la propagande incessante quoique dangereuse des antimilitaristes, il serait à peine permis aujourd'hui d'examiner l'éventualité d'une révolution[3] ».

Le « militarisme » – mot attesté dès avant le Second Empire et calqué sur « cléricalisme[4] », dans les deux cas désignant la prépondérance indue d'une « caste » – est un terme qui s'est répandu dans toute la gauche républicaine pendant l'Affaire Dreyfus. Il a désigné pour le

---

3. Victor Méric, *Comment on fera la révolution*, Paris, Petite Bibl. des hommes du jour, 1907, p. 15.

4. On rencontre « militarisme » occasionnellement pendant la Révolution puis en 1845, note J. Dubois. *Vocabulaire politique et social en France de 1869 à 1872 à travers les œuvres des écrivains, les revues et les journaux*, Paris, Larousse, 1962, p. 343. Il donne une citation communarde qui est déjà, autant qu'on puisse juger, conforme à la phraséologie socialiste ultérieure : « c'est la fin du vieux monde gouvernemental et clérical, du militarisme, du fonctionnarisme... », Programme de la Commune, *Ann. Assemblée nationale*, X, 194 (18.4.1871).

bourgeois dreyfusard l'arrogance inacceptable et les manœuvres de la caste militaire contre la France républicaine, les plans ourdis par des officiers réactionnaires en cheville avec les ligues nationalistes, contre la démocratie et le droit. Pour le militant socialiste au contraire (même s'il fut dreyfusard), le « militarisme » est bien plus et autre chose : il est *l'essence* du régime capitaliste, il en est le visage répressif et l'exacerbation des luttes sociales met, au début du XXe siècle, ce rôle contre-révolutionnaire de mieux en mieux en lumière.

On le verra en détail au chapitre V, l'idéologie antimilitariste est allée au bout de sa logique en associant étroitement à sa dénonciation de l'armée au service du capital et de la guerre *l'antipatriotisme.* Le prolétaire n'avait « pas de patrie » ; les prolétaires de tous les pays étaient unis dans l'Internationale des travailleurs, – cela se répétait machinalement depuis toujours sans qu'on approfondît cette thèse et en tirât des conséquences radicales. Un socialiste français devait se sentir le « frère » d'un socialiste allemand car tous deux étaient les ennemis de leur bourgeoisie et du capital cosmopolite. Le patriotisme, dans cette vision des choses, était cette idéologie (on dira souvent « cette religion nouvelle », substitut moderne, tout aussi irrationnel, aux antiques superstitions catholiques démonétisées) qui servait à justifier les horreurs de la guerre, à couvrir la répression armée, à dissimuler les ignominies de la caserne et à préparer le prolétariat européen au massacre fratricide.

Pour une partie de l'extrême gauche, créant ainsi une coupure profonde dans le mouvement socialiste qui avait sa large part de patriotes et de chauvins, le vrai révolutionnaire devait être *un sans-patrie.* Il lui fallait travailler à arracher des cœurs ouvriers la fratricide idée de patrie, à en extirper toute superstition patriotique, à le débarrasser de cet esprit cocardier instillé par le café-concert, la chansonnette revancharde, les défilés militaires, mais aussi par l'enseignement primaire, – comme les générations précédentes avaient réussi à faire des croyances religieuses.

L'ANTIMILITARISME SOCIALISTE AVANT 1905

L'antimilitarisme – ainsi préliminairement circonscrit dans ses grands thèmes – n'est pas quelque chose qui *apparaît* ni même qui se développe soudain dans le mouvement ouvrier au début du XXe siècle. Les thèses que je viens de synthétiser, on pouvait les rencontrer *depuis toujours*, diffuses, exploitées par des groupes marginaux, réactivées et exacerbées par les heurts avec les forces de l'ordre et les répressions, depuis la Commune et même avant elle. Les socialistes romantiques, je l'ai dit, rêvaient de paix perpétuelle et de remplacement des armées, oisives et improductives, par des armées « industrielles ». Que le capitalisme veuille la guerre et le prolétariat, la paix ; que l'armée soit l'instrument répressif de la bourgeoisie scélérate, tout ceci tenait de l'évidence dans la mouvance idéologique du socialisme organisé. Seulement ces thèses toujours-déjà-là vont se transformer, un peu avant l'unification des partis ouvriers-socialistes dans la SFIO en 1905, en une doctrine systématique qui séduira bien des militants et donnera à l'extrême gauche du nouveau parti (à ce secteur que les guesdistes vont nommer par amalgame avec leurs ennemis de toujours, les compagnons anarchistes, l'« anarcho-syndicalisme ») une *identité forte*, un programme convaincant à opposer aux « compromissions » du socialisme parlementaire, au « révolutionnarisme en paroles » des Jaurès et autres tribuns bourgeois, à la « sclérose » dogmatique et attentiste du marxisme de Jules Guesde.

Pendant quelques années, l'antimilitarisme deviendra la doctrine officielle de la Confédération générale du travail (CGT) et s'identifiera ainsi à la voie syndicaliste vers la Grève générale et à la critique ouvriériste du socialisme parlementaire réformiste.

« Guerre à la guerre », le mot d'ordre est d'abord indivis entre les pacifistes bourgeois et les socialistes[5]. Dans les années 1880, un militant italien du Midi, Amilcare Cipriani publie une feuille bilingue, français-italien, qui porte ce titre et se donne pour l'« Organe de la Fraternité latine et de l'Union des peuples ». L'exécration des tueries fratricides, le *topos* du « jusques à quand » les humains persisteront-ils à s'entretuer, l'exaltation de la « solidarité ouvrière » par-delà les frontières, de l'Internationale des peuples laborieux et pacifiques, le projet vague d'« abolition des armées permanentes » et de leur remplacement par « le peuple armé », – tout ceci forme une thématique d'envolées simplistes et vertueuses qui fait partie du grand répertoire rhétorique du mouvement ouvrier, mais qui n'ouvre encore

---

5. Voir un poème de ce titre d'Émile Chatelain, *Revue européenne*, 1 : 1889, p. 13-14.

sur aucun programme concret, aucune agitation ciblée. « Paix entre nous, guerre aux tyrans », chante « l'Internationale » de Pottier, mise en musique par Pierre Degeyter en 1888. Dans les meetings, tout agitateur de bonne volonté s'attire l'approbation bruyante du public en proposant de mettre un terme au gaspillage militaire et d'investir dans de l'utile :

> Il vaudrait mieux dépenser l'argent du budget de la guerre à construire des machines agricoles[6]...

Quelque chose change vers 1889 : la résistible ascension du général Georges Boulanger, plébiscité par l'électorat parisien en janvier, fait prendre conscience à l'extrême gauche (jusque-là proche du radicalisme jacobin avec sa composante « patriote de 1793 »), du danger « militariste » incarné par le général à la barbe blonde et son Comité national révisionniste, soutenu par la naguère républicaine Ligue des Patriotes. Jules Jouy, chansonnier du parti allemaniste, le fait comprendre en chansons aux militants :

> Maigres prolétaires,
> Modestes héros,
> Gare aux militaires !
> Aux brav's généraux !

Ce sera en effet le Parti ouvrier socialiste révolutionnaire, allemaniste, qui deviendra le principal vecteur de l'antimilitarisme ouvrier avant 1905. Une seconde vague, plus puissante, d'antimilitarisme socialiste va correspondre au ralliement des socialistes au camp dreyfusard et aux affrontements violents avec les troupes nationalistes au tournant du siècle. Les historiens s'accordent sur la succession de ces deux épisodes qui font passer une partie des socialistes d'un pacifisme de principe à une hostilité pour l'armée et la caste militaire fondée en stratégie révolutionnaire et en conscience de classe.

Il y a autre chose cependant : depuis les années 1880, à la gauche des deux partis organisés, les possibilistes (de la Fédération des travailleurs socialistes de France) et les guesdistes (du Parti Ouvrier), à la gauche même du « Comité révolutionnaire central » blanquiste

---

6. É. Odin dans un meeting, propos rapportés par un indicateur de police, Arch. Préf. Police [Ba1205, document du 12.3.1888].

(dont la moitié des membres passe avec armes et bagages au boulangisme) prolifèrent des groupuscules, essentiellement parisiens, autoproclamés « socialistes-révolutionnaires » (avec le tiret), hostiles aux « pontifes » des grands partis et pratiquant une rhétorique de surenchère violente, qu'il n'est pas anachronique de qualifier de *pur gauchisme*. Dans leurs périodiques qui ne cessent de naître et de disparaître, sous le coup souvent de condamnations pour « provocation à l'indiscipline », une propagande résolument antimilitariste se développe, dénonçant non seulement les risques de guerre, mais avant tout l'armée au service du capital, la « caste » des officiers, la « pourriture de caserne », prônant la désobéissance, l'insoumission, rêvant la grève générale pour faire échec à la mobilisation éventuelle, – tout ceci déjà. Du couplet pacifiste déjà cité de « L'Internationale », ils ont retenu essentiellement le mot d'ordre provocateur qui suit : « [...] Crosse en l'air et rompons les rangs ».

Un certain Émile Odin, figure connue de ces petits groupes, fait la tournée des départements et collectionne vers 1890 les condamnations pour propagande antimilitariste[7]. Entre 1889 et 1891, le quotidien parisien *L'Égalité*, dirigé par un individu suspect de bonnes relations avec la police, le boulevardier Jules Roque, et animé par un jeune Corse exalté, Michel Zevaco (le futur feuilletonniste) est le principal vecteur de ces doctrines ultra-révolutionnaires – régulièrement dénoncées à ce titre comme provocatrices et irresponsables par les chefs marxistes comme par les possibilistes. Zevaco est arrêté en avril 1890 pour « provocation au meurtre » suite à un éditorial où il invitait les soldats, « esclaves modernes », à se faire justice de leur propre main[8]. Un mois plus tard, un autre idéologue du journal, l'antisémite Auguste Chirac, remet ça – et est derechef poursuivi pour « excitation de soldats à la désobéissance[9] ».

L'antimilitarisme, avec son caractère de provocation permanente de la justice « bourgeoise », a été, dès l'origine du phénomène et vingt-

---

7. Condamné à trois mois aux Assises de l'Aube, Troyes, 21 mai 1889, voir *Le Petit Troyen*, 23.5.1889.

8. Voir la protestation de Jules Guesde (qui le déteste cependant) dans *Le Combat*, 27.4.1890, p. 1.

9. Protestation du *Père Peinard*, 11.5.1890, p. 5.

cinq ans avec la création de *la Guerre sociale,* la composante centrale de **tous** ces groupes gauchistes, composés de gens ayant quitté, déçus, les partis broussiste, allemaniste, guesdiste ou blanquiste, désireux de passer à l'acte et d'« en finir » tout de suite, hostiles, alors même qu'une poignée seulement de députés désunis se disaient « socialistes », au socialisme parlementaire, aux tribuns et aux pontifes, montrant, de fait, des sympathies pour les doctrines anarchistes violentes des Jean Grave, des Kropotkine et du *Père Peinard.* C'est dans ces milieux que le « mythe » de la Grève générale fait son chemin, et ce, dès les années 1880. De sorte que ce qui va se développer, prendre pied et recruter des approbateurs vers 1905, à l'intérieur du nouveau parti unifié, c'est ce gauchisme même qui a fait la connexion de ses idées, de ses haines et de ses espérances avec la doctrine syndicaliste. L'antimilitarisme se développe comme élément indivis de ce secteur, particulièrement vociférant, qui était resté marginal jusqu'au début du siècle et dont les progrès sont avant tout une réaction contre le socialisme démocratique et légaliste incarné par Jaurès – comme ils sont, simultanément, une conséquence de la multiplication des affrontements entre puissances européennes et un contre-coup de la division de la France post-dreyfusarde entre nationalistes et démocrates anti-nationalistes.

LES ROMANS ANTIMILITARISTES

L'antimilitarisme forme le seul « thème » où la littérature de circuit restreint assume un engagement politique à la fin du siècle passé et où, du même coup, l'avant-garde littéraire attire l'attention des tribunaux. Lucien Descaves publie un fameux roman, *Sous-offs* en 1889 et est poursuivi aux assises[10] à l'indignation unanime de ses confrères – comme le délicat Rémy de Gourmont sera révoqué peu après de la fonction publique pour son bref pamphlet, « Le joujou patriotisme[11] ». Peu auparavant, Abel Hermant avait une première fois scandalisé le monde militaire en dévoilant ses vices et ses bassesses dans un roman naturaliste, *Le cavalier Miserey.* Dans *Sous-offs* de Descaves, la peinture de la ville de garnison est, de fait, impitoyable :

---

10. Voir *Sous-offs en cour d'assises,* Paris, Tresse & Stock, 1890.
11. Paru au *Mercure de France* en 1891.

tous les militaires de carrière sont des gougeats, corrompus, débauchés, un peu souteneurs et abrutis ; les détails précis et observés de la description atteignent à l'anatomie systématique d'une grande enquête sociologique. Ce roman d'un disciple talentueux de Zola va être approuvé pour sa « vérité » réaliste par la presse boulevardière et même par la presse distinguée, et tout le milieu littéraire, même Daudet, même Goncourt, pétitionnera en faveur du jeune confrère poursuivi[12].

D'autres romans, plus venimeux encore contre l'institution militaire et ses mœurs, comme le brutal *Biribi* de Georges Darien, auteur également du tout aussi antipatriote (et antisémite) *Bas les cœurs*, font que des romanciers s'attirent désormais régulièrement l'approbation des journaux anarchistes et socialistes-révolutionnaires[13]. Et que, réciproquement, des littérateurs et des artistes, vont montrer un intérêt d'esthètes pour les doctrines libertaires.

LE PARTI SOCIALISTE UNIFIÉ ET LA PAIX

Le Parti SFIO, Section française de l'Internationale ouvrière, naît au Congrès de la Salle du Globe le 25 avril 1905 de l'unification de tous les petits partis socialistes évoqués plus haut. Il se constitue et grandit entre la crise marocaine de 1905 et la crise balkanique de 1912 qui présage de l'imminente conflagration mondiale. En dehors du courant spécifiquement antimilitariste que je me propose de décrire, tout le mouvement socialiste apparaît aux bourgeois patriotes qui s'en inquiètent et s'en indignent, comme devenu « synonyme d'antimilitarisme[14] ». Ces « patriotes » ne perçoivent évidemment pas bien les divergences de lignes et les factions en présence. L'appareil du parti, autour de Jaurès, constamment exaspéré par la surenchère de Gustave Hervé et des autres « Sans-Patrie », mais convaincu que la guerre

---

12. *Gil-Blas*, 13.2.1889, p. 1 et *Figaro*, 5.12.1889.

13. Mais il faut signaler aussi au cours des mêmes années 1880, les romans de la caserne d'Henri Fèvre, *Au port d'arme*, de Paul Bonnetain, *Le nommé Perreux*... On verra encore dans la même veine, publié également par Savine en 1889, *Élève martyr* de Marcel Luguet.

14. Anatole Leroy-Beaulieu, *Les doctrines de haine : l'antisémitisme, l'antiprotestantisme, l'anticléricalisme*, Paris, Calmann-Lévy, 1902, p. 44.

menace et que seul le socialisme européen pourrait s'y opposer, qu'il peut réellement être l'artisan de la paix, travaillant à une entente entre socialistes français et allemands sur une position pacifiste qui s'exprime officiellement au Congrès de l'Internationale de Stuttgart en 1907 (mais les leaders français conservent des doutes sur la résolution de la *Sozialdemokratie* – et sans doute réciproquement), exprimant sa volonté de s'opposer à la guerre en des manifestations dans toute la France, qui culminent avec la grève générale contre la guerre du 16 décembre 1912 (mais elle n'est qu'un demi-succès, le ministre de l'Intérieur étant parvenu à intimider ici et là et à limiter les dégâts) et avec la grande manifestation contre la « loi de trois ans » au Pré-Saint-Gervais en 1913, a fait de la lutte contre la guerre son principal combat.

La SFIO a une doctrine officielle, auto-satisfaite : « Le socialisme est la meilleure ou, pour mieux dire, la seule garantie contre la guerre[15]. » Le socialisme, c'est la paix « puisque les prolétaires se tendent la main par dessus les frontières[16] ». « Pendant que nos gouvernements fébriles poursuivent et emprisonnent ceux qui ont l'audace de parler de paix universelle, le socialisme marche résolument vers l'entente internationale qui doit garantir l'avenir », martèlet-on dans les meetings avec ce qui peut apparaître souvent pour un optimisme de commande[17]. Les courants jaurésiens, guesdistes, broussistes répètent ce qu'ils ont toujours soutenu : la paix est dans l'intérêt suprême de la justice et de l'humanité, l'armée est une armée de classe, la course à l'armement est un gaspillage honteux. À chaque réunion de l'Internationale, on fait voter unanimement une motion pour prévenir et empêcher la guerre, et chaque fois, la presse du parti se convainc que l'affaire est réglée, que la paix est dans le sac, garantie par la force tranquille de l'Internationale triomphante :

> Quel ne doit pas être l'effroi des dirigeants en apprenant cette entente. C'est bien la fin des guerres, la volonté enfin manifestée du prolétariat conscient. Ce sont les travailleurs, hier encore bêtes à travail, bêtes à profit, qui dictent leur désir et préparent l'avenir riant[18].

---

15. *Le Travailleur*, Lille, 7.9.1907, p. 1.
16. Georges Renard, *Paroles d'avenir*, Paris, Bellais, 1904, p. 29.
17. *Le Combat*, Allier, 11.3.1906, p. 1.
18. É. Montusès, *ibid*.

La thèse officielle est que la Deuxième Internationale est non seulement contre la guerre, il va de soi, mais qu'elle en mesure de garantir désormais la paix européenne contre le capitalisme belliciste et de la lui imposer. La presse du Parti ouvrier belge ne dit pas autre chose :

> La classe ouvrière, par son organisation internationale, devient un frein à la fureur dévastatrice des gouvernements ; bon gré mal gré, l'intérêt de ceux-ci résidera de plus en plus dans la paix[19].

Le socialisme a un programme réformateur d'avenir qui, lui non plus, n'est pas neuf et qui est d'ailleurs celui des radicaux : suppression des armées permanentes, armement général de la nation : le souvenir des volontaires de 1792 se mêle à la méfiance nouvelle envers la caste militaire.

La Guerre sociale

Si, après 1905, le socialisme français semble enfin unifié, il faut constater que ledit Parti socialiste unifié – Section française de l'Internationale ouvrière est et demeurera toujours composé de « tendances » éperdument hostiles l'une à l'autre, où on retrouve la plupart des lignes de partage déjà établies en 1889 lors de la reconstitution de l'Internationale : « broussistes » (à la limite de l'exclusion du fait de leurs sympathies obstinées pour les socialistes indépendants et les radicaux-socialistes), « jaurésistes », « allemanistes », « guesdistes » (marxistes), « vaillantistes » (blanquistes), « syndicalistes révolutionnaires », « d'action directe », « hervéistes » enfin, antipatriotes et antimilitaristes. Le Socialisme, journal guesdiste, dénonce régulièrement cette multiplication de tendances[20], mais il ne s'inclut pas dans la dénonciation car, lui, est l'organe du « socialisme scientifique » et possède de ce chef la vérité historique.

Ces fractions ont, jusqu'en 1914, chacune leurs revues qui consacrent un bon tiers de leurs textes rédactionnels à polémiquer avec amertume contre toutes les autres. Le Socialisme, guesdiste, ne cesse

---

19. Sosset, *le Travail*, Verviers, 30.1.1907, p. 1.
20. « Tendances », *Le Socialisme*, 23-30 août 1908.

en effet de dénoncer ceux qu'il nomme (par amalgame avec ses ennemis de toujours, les anarchistes) les « anarcho-syndicalistes » sur sa gauche que pour excommunier les « blocards », les « réformistes » et les « broussistes » sur sa droite. De même, *La Guerre sociale* de Gustave Hervé, dont je vais parler, consacre presque autant de pages à honnir et à ridiculiser « ces pauvres guesdos », les guesdistes, à attaquer, hors du parti, certains anarchistes et à envenimer des désaccords avec les doctrinaires d'Action directe de la CGT qu'elle en consacre à attaquer la société bourgeoise, le gouvernement Clemenceau et les militaristes. *L'Action directe* (journal de la CGT dont le titre indique la doctrine) est un déversoir de rancunes anti-broussistes, anti-guesdistes, anti-jaurésistes, anti-anarchistes... Hors de la SFIO, subsistent d'ailleurs un « Parti socialiste de France » (Viviani, Millerand sont, eux, très patriotes) non rallié et divers « socialistes indépendants », d'une part. De l'autre, d'innombrables groupuscules et revues anarchistes, – eux-mêmes aigrement séparés en « libertaires individualistes » et « anarchistes-communistes », en « illégalistes » et tolstoïens non-violents.

Un de ces courants, bien identifié et à couteau tiré avec tous les autres, est en effet désigné comme « antimilitariste-antipatriote ». Il s'exprime dans un journal fondé en décembre 1906 par un professeur révoqué, Gustave Hervé[21], *La Guerre sociale,* journal hebdomadaire destiné à arracher le Parti à son réformisme (son ennemi juré sera Jean Jaurès) et à promouvoir une stratégie de « concentration révolutionnaire » centrée sur l'antimilitarisme « insurrectionnel », accueillant à des militants venus de l'anarchie, comme l'est son secrétaire de rédaction, Miguel Almereyda (Eugène Vigo, 1883-1917)[22], comme Victor Méric, un de ses rédacteurs talentueux, comme son dessinateur attitré, Grandjouan, mais proche aussi de certaines personnalités syndicalistes comme Merrheim, Lagardelle, Griffuelhes, Broutchoux et contribuant à entraîner la CGT dans sa radicalisation antimilitariste.

En 1908, *La Guerre sociale* a déjà deux mille abonnés et un tirage de 26 000 ; il montera à 50 000 : c'est un succès de diffusion qui perdure jusqu'en 1914.

---

21. C'est pourquoi on dit aussi « hervéiste ».

22. Le pseudonyme Almereyda, pas du meilleur goût, est une métathèse de « Y a d'la merde ! ».

La Guerre sociale se donne un ton conforme à son titre : celui de la violence verbale incandescente qui atteint un sommet avec son numéro du 29 juillet 1908, titré « République d'assassins » – numéro qui appelait des poursuites qui ne manquèrent pas. Le journal d'Hervé en tirant sur tout ce qui bouge dans le monde bourgeois ne fait que reprendre la rhétorique de pousse-au-crime qui avait fait le succès naguère de *L'Égalité* de Roque et Zevaco, évoqué ci-dessus.

Gustave Hervé, évidemment, n'est nullement un pacifique pas plus que ses collaborateurs : il n'est pas opposé à la guerre... pourvu que ce soit la guerre civile qu'il appelle au contraire de tous ses vœux. Hervé est tout simplement un de ces individus, à la fois naïfs et redoutables, qui dans les mouvements idéologiques, prennent le but affirmé *au pied de la lettre* et essaient à partir de là d'être radicalement *logiques* : si la chute du capitalisme à la suite d'une crise finale et la révolution prolétarienne étaient fatales et imminentes, il fallait se montrer conséquent, renoncer au légalisme amolissant, faire tout pour s'y préparer, se préparer à la violence notamment par « l'action directe », – et dénoncer avec vigueur l'attentisme, peut-être la traîtrise, des autres courants qui en faisaient moins qu'eux.

Hervé, il est vrai, a vu venir de longue main la guerre européenne et son cortège d'horreurs, il a averti, prophétisé, protesté en vain ; au milieu de sa rhétorique de lutte révolutionnaire à outrance et d'appels à la violence, à la désertion, au milieu de polémique haineuses contre les courants moins radicaux du parti, peut-être que cette perspicacité se laisse mal dégager et percevoir.

La Guerre sociale, c'est entendu, déteste les militaires, le grand capital, les patriotards, les ligues nationalistes, les radicaux au pouvoir, le flic Clemenceau et le renégat Briand – mais près de 50 % de ses chroniques est pourtant consacré à régler des *comptes internes* au parti, à tirer sur *Le Socialiste*, organe officiel du parti, sur *L'Humanité* de Jaurès, sur Jules Guesde et les marxistes « sclérosés », sur les « blocards » (partisans du rapprochement avec les radicaux-socialistes), à envenimer même des conflits avec la CGT, dont il eût semblé qu'ils partageassent la doctrine d'Action directe. Cependant, leur principale tête de Turc, c'est Jaurès :

Sectaires ! nous crie Jaurès... Peut-être. Ce sont les sectaires qui font les révolutions ; ce ne sont ni les diplomates, ni les équilibristes, quelle que soit d'ailleurs leur bonne volonté et leur éloquence[23].

De fait, Jaurès et l'appareil du Parti détestent tout ce que *La Guerre sociale* représente – tout en ménageant Hervé et le courant d'opinion qu'il incarne et en évitant la rupture. Jules Guesde, pape du marxime et doctrinaire rigide, réclame en vain l'épuration, l'exclusion du citoyen Hervé ; il assimile l'hervéisme à l'anarcho-syndicalisme, sa bête noire, dénonce « les feuilles à injure, à calomnies et à cabotinage de nos socialo-fumistes », accuse Hervé de pousser de pauvres diables à l'émeute ou à l'insoumission avec des théories irresponsables dont d'autres font les frais[24]. Gustave Hervé prône aux appelés la désertion. Voici pour Guesde une autre « aberration antirévolutionnaire[25] ». Un déserteur, c'est un militant perdu. « La désertion est un privilège capitaliste. Pour l'ouvrier [...], une misère plus noire que celle qu'il a connue l'attend à l'étranger[26]. » Les esprits pondérés et rares intellectuels autonomes, comme Eugène Fournière, professeur à Polytechnique, regrettent volontiers de leur côté que la SFIO ait « permis la surenchère des agités et des impulsifs, minorité active et véhémente qui entraîne toujours les majorités quand l'autre minorité, celle des gens qui savent et réfléchissent laisse faire par crainte ou par paresse[27] ».

C'est vrai : Gustave Hervé est un agitateur-né (certains syndicalistes diront de lui avec plus ou moins de sympathie : « un braillard »), et il a réuni autour de lui des hommes dotés d'un tempérament analogue au sien. L'aventure de *La Guerre sociale*, des débuts en fanfare à l'effondrement et aux reniements d'août 1914 (et lointainement, à l'ultime avatar du « Sans-patrie » en pétainiste dans les années 1930) illustre avec la clarté d'une démonstration de manuel, le danger que représentent les exaltés et les extrémistes pour les militantismes – et

---

23. Hervé, *GS*, 13.11.1907, p. 1.

24. *Le socialisme*, 3.10.1908, p. 4.

25. P. Constans, *Le Combat* (Allier), 6 octobre 1907, p. 1.

26. Paul Lafargue, *Le Combat* (Allier), 20 octobre 1907, p. 1.

27. *La crise socialiste*, p. 180. Et Paul Brousse écrit de son côté : « la mince personnalité de ce petit professeur bilieux [...] est de beaucoup en dessous du rôle qu'il joue en ce moment dans la politique générale ». *Le Prolétaire*, 19.10.1907, p. 1.

les retournements de veste qui semblent démontrer la faiblesse et la mauvaise foi de convictions exagérées successivement affichées.

ANTIMILITARISME ET SYNDICALISME D'ACTION DIRECTE

Si l'antimilitarisme a pour principal vecteur de presse avant 1914 *La Guerre sociale*, et si la personnalité de Gustave Hervé est connue dans tout le milieu socialiste comme celle du doctrinaire par excellence de cette idéologie, les thèses antimilitaristes n'en sont pas moins répandues dans tout le secteur « révolutionnaire » antiparlementaire. Depuis le congrès d'Amiens de 1906, la lutte contre le militarisme et la menace de guerre fait partie de la politique officielle de la Confédération Générale du Travail. Le congrès de Marseille en 1908 y surenchérira en ajoutant au programme le mot d'ordre de grève générale en cas de mobilisation. L'antimilitarisme apparaît ainsi comme partie prenante d'une nouvelle vision du mouvement révolutionnaire, vision conçue comme une alternative aux compromissions de la voie parlementaire, au fatalisme historique et à la sclérose des marxistes-guesdistes, à la discipline de parti, et qui se désigne comme *syndicalisme d'action directe* – ou *syndicalisme révolutionnaire*.

Les idéologues de cette voie strictement prolétarienne par son recrutement (et non voie de confusion et collaboration de classes comme l'est à leurs yeux le socialisme de parti) qui doit conduire, de grèves, boycottages et sabotages à la Grève générale, sont à la tête de la CGT et dirigent ses journaux ; ce sont principalement Victor Griffuelhes, Hubert Lagardelle, Émile Pouget, G. Yvetot – tous proches de l'anarchisme ou venant de ces milieux, ce qui semble justifier les guesdistes, qui les détestent, de les qualifier d'« anarcho-syndicalistes ».

La presse syndicale, *Action directe, La Voix du peuple, La Bataille syndicaliste* diffusent les théories d'action directe. À l'écart des appareils, Georges Sorel et la revue *le Mouvement socialiste* formulent la version théorique de cette stratégie et réinventent un « vrai » Marx, théoricien de la praxis, prenant « le contrepied des socialistes officiels qui veulent surtout admirer dans Marx ce qui n'est pas marxiste[28] ». Victor Griffuelhes définit le syndicalisme comme « le

---

28. Sorel, *Mouvement social.*, I, 1906, p. 425.

mouvement de la classe ouvrière qui veut parvenir à la pleine posses-
sion de ses droits sur l'usine et l'atelier. [...] Par l'action directe, l'ouvrier
crée lui-même sa lutte[29]. » Le prolétariat organisé en syndicats lutte
contre le capitalisme sans passer par le système parlementaire et l'État.

Toute l'argumentation (peut-être devrait-on dire « toute
argumentation ») débouche sur un *mythe*, chimérique et mobilisateur
à la fois : celui de la Grève générale, dernière étape victorieuse de
l'affrontement des classes. Il va de soi que Griffuelhes *croit* à son
mythe parce que c'est sur lui que *débouchent* tous les raisonnements,
nourris par l'expérience concrète des luttes syndicales, de l'idéologie
d'action directe :

> La grève générale est l'arrêt de la production sociale ; par elle le prolétaire
> affirme sa volonté de conquête totale, il frappe de stérilité et d'impuis-
> sance la société actuelle. [...] La révolution sociale, c'est-à-dire la main-
> mise sur le travail et sur le profit, sera l'aboutissant d'un mouvement
> total de la classe ouvrière. [...] Que des lutteurs du mouvement social
> s'obstinent à ne pas croire à sa possibilité, voilà qui est faire montre d'un
> réel aveuglement, préparant à ceux qui en sont victimes de réelles dé-
> ceptions[30].

Or, c'est cette *croyance* (déniée comme telle) qui sépare la
mouvance syndicaliste du reste du mouvement socialiste lequel
unanimement qualifie la grève générale de pure « utopie[31] ». Cependant, une partie de la classe ouvrière a été convertie à cette idée simple
et satisfaisante, qui se profilait à l'horizon d'une doctrine d'autonomie de la classe salariée, et qui promettait et semblait confirmer, selon
la classique formule, que « l'émancipation des travailleurs serait
l'œuvre des travailleurs eux-mêmes ». *La Guerre sociale* d'Hervé
endosse aussi la stratégie de la Grève générale et l'intègre à sa tactique
antimilitariste : « la société capitaliste est grosse d'une société
nouvelle où le travail aujourd'hui asservi par le capital, l'asservira à
son tour[32] ».

---

29. Victor Griffuelhes et Louis Niel, *Les objectifs de nos luttes de classes*, préface
de Georges Sorel, Paris, Rivière, 1910, p. 14. Le syndicalisme allemand n'a pas adopté
une ligne syndicaliste-révolutionnaire et l'agitation française ne plaît pas à la discipli-
née *Sozialdemokratie*.

30. Griffuelhes et Niel, p. 33, 35 et 28.

31. Charles Vérecque, *La conquête socialiste du pouvoir politique*, Paris, Giard
& Brière, 1909, p. 120.

32. Hervé, Vers la grève générale, *La Guerre sociale*, 24.4.1907, p. 1.

Les cégétistes tirent du succès rapide de cette idée dans les masses – ou du moins chez les militants – le sentiment de sa grande force de pénétration, preuve à leur gré de sa justesse. Les « parlementaires » au contraire, conscients du faible degré de syndicalisation des salariés français et qui ne cessent de rappeler ce fait à une CGT ultra-minoritaire à l'usine et à l'atelier, ne voient qu'un mot vide dans une doctrine qui n'est ni préparée ni soutenue par un syndicalisme puissant et uni. Car il subsiste en France, outre évidemment un très grand nombre de salariés non syndiqués, un ensemble de syndicats réformistes que le volontarisme de la CGT rebute et maintient à l'écart, et pour qui la grève générale, spécialement, n'est qu'un « songe creux[33] ». Cette idée qui apparaît à ses zélateurs comme « l'aboutis-sant logique de l'action constante du prolétariat en mal d'émancipa-tion » démontre donc au contraire à ceux qui la rejettent le caractère intégralement chimérique de la stratégie qui y aboutit.

ANARCHISME ET ANTIMILITARISME

Jusqu'au début du siècle, anarchistes et « autoritaires » se sont regardés en chiens de faïence. Vers 1900 certains anarchistes, ceux justement séduits par le projet de grève générale et d'action antimili-tariste, sont entrés dans les syndicats CGT dont la radicalité, le dégoût du suffrage universel et l'esprit d'affrontement et de lutte frontale leur paraissaient prometteurs. Dans les années 1890, Émile Pouget poussait déjà avec simplisme l'idée de grève générale dans chaque numéro de son brûlot anarchiste à succès populaire, *Le Père Peinard*.

> Voyez-vous ce qui arriverait si dans quinze jours il n'y avait plus de charbon ? Les usines s'arrêteraient, les grandes villes n'auraient plus de gaz, les chemins de fer roupilleraient[34]...

Émile Pouget passé au syndicalisme, nommé rédacteur de *La Voix du peuple*, deviendra l'idéologue-en-chef de la CGT. Mais dans le même temps et en remontant aux années 1880, les doctrinaires de l'anarchie, Jean Grave, Sébastien Faure, Kropotkine avaient vu dans la grève générale une représentation forte et crédible de la révolution

---

33. *Moniteur des syndicats ouvriers*, 5.5.1907, p. 1.
34. *Père Peinard*, 1889.

spontanée, menée par le peuple en dehors des organisations, des calculs des pontifes et des partis autoritaires. Or, dans les différents milieux de l'anarchie où la provocation à l'insubordination et à la désertion faisait partie de la propagande courante, la connexion se fait spontanément entre grève générale et exécration active du militarisme. Jean Grave avait montré en l'armée le principal appui de la « Société mourante[35] ». Dans l'anarchie, les idéologues antimilitaristes radicaux abondent : Charles Malato, Urbain Gohier[36], Victor Méric qui fonde en 1904 l'Association internationale antimilitariste des travailleurs. On sent même dans ces milieux une certaine jalousie à l'égard du succès d'Hervé, ce tard venu, outrancier dans ses propos, mais ménageant la chèvre libertaire et le chou socialiste, alors que les compagnons anars faisaient de l'antimilitarisme depuis toujours, qu'ils sont passés à l'acte, ont poussé à l'insoumission et ont durement payé devant la justice bourgeoise[37]. On perçoit aussi vers 1907-1908 la crainte que le ralliement massif des libertaires aux Unifiés et à la doctrine syndicaliste-révolutionnaire ne vide au bout du compte les rangs de l'anarchie pure[38].

En marge de l'anarchie et du syndicalisme, on signalera enfin les chansonniers « humanitaires » (comme on disait alors), héros du café-concert et du cabaret montmartrois, suspects parfois de roublardise commerciale, mais dont le succès immense est le vecteur efficace d'un antimilitarisme sentimental et d'une exécration de la guerre qui attirent jusqu'en 1914 les applaudissements nourris de la foule des beuglants. Montéhus (« L'enfer du soldat », « Avant l'exécution », « La jeune garde », « La Butte rouge ») fait l'apologie de la mutinerie du 17e de ligne : « On n'doit pas tuer ses pèr's et mères / Pour les grands qui sont au pouvoir... » Paul Saphir chante avec émotion « Enfants ne jouez jamais au soldat »...

---

35. Jean Grave, *La société mourante et l'anarchie*, préf. d'Oct. Mirbeau, Paris, Tresse, 1893, chapitre XIII.

36. Voir notamment : *L'antimilitarisme et la paix*, Paris, L'Auteur, 1905 et *L'armée contre la nation*, Paris, Revue blanche, 1899. Il faudra reparler de Gohier anarchiste proto-fasciste qui n'est pas pour rien dans le meurtre de Jaurès ayant armé idéologiquement le bras de son assassin.

37. *L'Anarchie*, 21.11.1907, p. 2.

38. *Temps nouveaux*, 16.1.1907, p. 2.

POURSUITES ET RÉPRESSION

Les progrès de la propagande antimilitariste font très peur à l'État. Une immense correspondance avec les préfets, d'innombrables rapports des Renseignements généraux dans les dix années qui précèdent les hostilités en témoignent. En 1911, l'Intérieur compile le fameux « Carnet B » qui est la liste des militants de gauche désignés « À arrêter » en cas de mobilisation.

Ces craintes et cette surveillance ne sont pas dépourvues de fondement : les cas d'insoumission et de désertion, autant qu'aujourd'hui on puisse le mesurer, sont en croissance régulière. La presse antimilitariste pénètre clandestinement dans les casernes. En juin 1907, le 17ᵉ de ligne se mutine à Perpignan aux accents de « l'Internationale » ; *idem* peu après pour le 100ᵉ d'infanterie à Narbonne.

Le milieu des instituteurs, censés former les « hussards noirs de la république », est particulièrement conquis, à l'indignation des patriotes républicains, par les idées antimilitaristes et humanitaires les plus avancées, comme en témoigne nombre d'articles de leur journal corporatif, la *Revue de l'enseignement primaire.*

Le pouvoir a donc opté pour la répression tous azimuts. Le Concert-Montéhus est fréquemment fermé par la police. Les journaux syndicalistes sont régulièrement saisis. L'anarchiste revue *Les hommes du jour* de Flax également. Les rédacteurs de *La Guerre sociale*, Hervé, Almereyda, Merle accumulent les mois de prison : « injure envers l'armée », « provocation de militaires à la désobéissance »... De 1906 à 1908 seulement, ils totalisent 58 ans, 8 mois et 17 jours de prison. Et 10 200,00 francs d'amendes. Le dessinateur Grandjouan est lui aussi poursuivi pour une caricature, « Ah ! Jean-foutre ! Tu as tiré sur le peuple[39]! » Pendant quelques années, ravis d'être la cible privilégiée d'une « justice de classe », l'équipe défie le pouvoir et joue la surenchère :

> Si on nous coule sous les amendes, nous avons un autre journal tout prêt avec un autre titre. [...] Quand Merle et Miguel [Almereyda] seront arrêtés après moi, une nouvelle équipe est toute prête[40].

---

39. Numéro du 6 octobre 1907 de *La Voix du peuple.*
40. Hervé, *GS*, 19.2.1908, p. 1.

Les cadres de la CGT aussi sont atteints, dont douze membres sont condamnés en février 1908 pour avoir flétri les « crimes du gouvernement » dans la répression des manifestations de Narbonne et avoir diffusé une affiche fameuse, « Gouvernement d'assassins ».

Cependant vers 1912, Gustave Hervé, après de longs mois de prison amorce une évolution laquelle ne permet pas encore de prévoir du reste sa palinodie d'août 1914 : il renonce à l'antipatriotisme dont il lui apparaît, enfin, que les masses ne veulent pas et voit plutôt dans le noyautage socialiste de l'armée une stratégie pacifiste réaliste, renonçant à prôner l'insoumission et la désertion. En fait, il n'y a pas qu'Hervé qui s'est mis « à réfléchir ». Vers 1912, un à un, les idéologues du syndicalisme révolutionnaire expriment des doutes sur une doctrine qui *ne prend pas* au-delà des minorités agissantes, qui éloigne les ouvriers réformistes, et détourne la CGT même des questions économiques, – et sur un mot d'ordre de grève insurrectionnelle en cas de mobilisation dont plusieurs se mettent à interroger à la fois le bien-fondé (en cas de « guerre défensive ») et, dans tous les cas, le réalisme.

Cette réflexion inhibée de résistances à une révision déchirante de la stratégie, ne sera pas achevée lorsque le coup de feu de Sarajevo – et le coup de feu du Café du Croissant – mettront les antimilitaristes au pied du mur.

IV

DOCTRINE, ARGUMENTS, STRATÉGIES

LE CAPITALISME, C'EST LA GUERRE

La violence sociale et la guerre sont inhérentes au régime capitaliste et les affrontements économiques, la concurrence entre grandes industries soutenues par leurs gouvernements sont les seules causes des guerres. La guerre, toute guerre, formule-t-on, « est d'essence capitaliste ou impérialiste[1] ». Répétons la formule fameuse de Jaurès qui résume ceci : « le capitalisme porte la guerre comme la nuée porte l'orage ». Le capitalisme dans son « essence » est une guerre économique perpétuelle qui emprunte la forme de conflits armés occasionnellement. Les affaires de la Chine, du Transvaal, la guerre russo-japonaise illustraient les cyniques calculs économiques qui avaient décidé du déclenchement des nombreux conflits lointains du tournant du siècle.

Les peuples, naturellement pacifiques, ne se font entre eux la guerre que parce que les intérêts en conflit de leurs oppresseurs la réclament. Comment pourraient-ils, ces peuples, avoir spontanément « de la haine contre les malheureux qui souffrent comme eux au-delà des frontières[2] ? » Les éternels « exploiteurs du peuple » sont les seuls

---

1. *L'Émancipateur*, Bourges, 7.9.1907, p. 1.
2. *Ibid.*

qui veulent la guerre qui leur permet d'envoyer « s'entr'égorger les prolétaires de nations différentes pour le plus grand profit de leur classe[3] ». Toute guerre ne peut être que « la guerre des bourgeois ».

Tôt ou tard, prophétise-t-on de mois en mois à l'extrême gauche dans les années qui précèdent 1914, il conviendra aux capitalistes de déclencher un nouveau conflit européen « à propos des Balkans, de la proche succession de François-Joseph ou tel autre prétexte qu'il plaira aux diplomates d'inventer, ce conflit-là est à peu près fatal », raisonnent lucidement les anarchistes et les antimilitaristes. « La guerre, mais c'est la conséquence logique et normale de l'ordre capitaliste, c'est l'aboutissement naturel du système. » Cette certitude posée, il reste au révolutionnaire à voir à tirer parti de l'inévitable tuerie : « Nous entendons utiliser les circonstances tragiques qui se préparent. [...] Nous voulons qu'il en sorte le triomphe du communisme libérateur[4]. »

UNE ARMÉE DE CLASSE

Le prolétaire devenu soldat, oublieux de toute solidarité de classe, se met corps et âme au service des intérêts de ses maîtres. N'importe quel soudard peut lui ordonner de tirer sur ses « frères » ; et ces mines, ces usines qu'on lui a « volées », il les garde maintenant « comme le chien garde la propriété de ses maîtres[5] ».

La force patronale réside surtout, non pas dans les coffre-forts, mais dans les baïonnettes des esclaves qui montent la garde devant ces coffre-forts[6].

Mais en outre, l'armée, en temps de paix extérieure, n'a d'autre fonction que de réprimer les travailleurs, d'opprimer le peuple. Elle est et n'est autre que « l'instrument nécessaire à la domination bourgeoise[7] ». « Elle est devenue le plus puissant instrument de domination qui ait jamais existé, toujours prête à fausser les conflits intérieurs[8]. » L'armée, c'est simplement « le capitalisme armé » ; on

---

3. *L'Émancipation*, St-Denis, 23.11.1907, p. 1.
4. *Mouvement anarch.*, 5 :1912, p. 114.
5. *Action syndicale*, Lens, 27.9.1908, p. 1.
6. Lorulot, *L'Idole Patrie*, p. 2.
7. *Almanach de la question sociale 1902*, p. 105.
8. *Almanach de la question sociale 1899*, p. 21.

dira aussi : l'armée, c'est le « chien de garde du capital », « le chien de garde des patrons ». La défense du territoire n'est qu'un prétexte à la limite, inventé par le « préjugé patriotique » et justifiant l'existence des armées dites « nationales », ces armées sont *en réalité* « instituées dans l'unique but, dans le seul souci de sauvegarder le capital et la propriété[9] », elles sont « l'instrument de la classe dominante » dans la perpétuelle guerre sociale. « L'emploi incessant des troupes dans les grèves, les collisions, les massacres qui en ont résulté » étaient la preuve immanente de cette thèse[10].

Cette armée pourtant, rempart de la bourgeoisie, ennemie mortelle du prolétariat, cette armée qui « massacre le populo » quand il proteste, sort des entrailles du peuple ! La paradoxe scandaleux du militarisme était ici : une armée formée de prolétaires, principal instrument de l'oppression qui pèse sur la classe travailleuse et qui empêche son émancipation ! À poser que toute idéologie part d'un *scandale*, le scandale qui fait le fond de la propagande antimilitariste, c'est cette métamorphose que la caserne opère du paisible travailleur, solidaire des siens, en une brute inconsciente, traîtresse à sa classe :

> Chaque année des milliers de jeunes gens sont arrachés à leurs familles, à leurs amis, à leurs travaux, et jetés dans des casernes où, méthodiquement, on les organise en vue de tenir en respect leurs frères en civil toujours prêts à se dresser contre le vieil ordre social[11].

La seule guerre historiquement légitime et émancipatrice, c'est la « guerre sociale » (c'est le titre d'Hervé, mais l'expression est bien ancienne, elle remonte à 1848). Les guerres internationales ne sont, dans cet esprit, que des « diversions » fomentées par les bourgeois, « un brandon de discorde jeté entre les peuples par leurs maîtres, au bénéfice des maîtres[12] ».

---

9. Lorulot, *Idole Patrie*, p. 3. Ou variante : « [...] n'est instituée que pour maintenir les privilèges bourgeois », Fréjac, *le Socialiste*, Commentry, 19.5.1889, p. 1.

10. Francis Delaisi, *La guerre qui vient*, Paris, « Guerre sociale », 1911, p. 1.

11. Charles Vérecque, *La conquête socialiste du pouvoir politique*, Paris, Giard & Brière, 1909, p. 64.

12. *Le Peuple socialiste de la Loire*, 4.5.1889, p. 1.

LA GUERRE CONTRE LA RÉVOLUTION

Non seulement le capitalisme, c'est la guerre, mais la guerre qui menace, c'est l'ultime moyen qui reste à la contre-révolution. Le principal obstacle à la révolution, en tous temps, c'est l'armée ; c'est pourquoi le révolutionnaire devait mettre tous ses efforts à l'affaiblir, la démoraliser. Quant à une grande guerre européenne, ce sera bientôt le « dernier recours » de la bourgeoisie internationale pour empêcher les inexorables progrès des forces prolétariennes. La bourgeoisie aux abois, voyant la fin de son règne, risque de vouloir « prendre les devants », de chercher à « enrayer » le mouvement révolutionnaire en pratiquant dans le peuple « une saignée abondante[13] ». Les bourgeois européens, accuse-t-on, « veulent la guerre entre les peuples qui peut seule empêcher la guerre de tous les peuples martyrs contre ses [sic] maîtres infâmes[14] ». Le capitalisme à travers les frontières prépare donc une guerre « fratricide », une « grande boucherie » qui lui permettra de « décimer les ouvriers ».

Autrement dit, la bourgeoisie n'est pas seulement *belliciste* en ce que la guerre prolonge par « d'autres moyens » la concurrence économique, la compétition commerciale dont elle vit ; elle est aussi machiavéliquement *criminelle* : elle prépare la guerre et s'en réjouit d'avance pour y faire s'entretuer le plus de prolétaires possible. Les guerres, explique-t-on, ont toujours été pour elle dans le passé des « soupapes de sûreté » quand la pression sociale devient trop forte.

Sans doute, ajoute-t-on avec défi, la guerre européenne, si elle se declenche, ne fera que « retarder et non empêcher l'explosion révolutionnaire[15] ». N'empêche, cette confiance dans la fatalité historique à terme ne change pas la conviction que la guerre menaçante sera le produit d'un *complot antisocialiste*. La paix est présentée comme l'indispensable « condition du progrès et de l'avènement du socialisme[16] ». Et la victoire révolutionnaire des collectivistes est imminente – « *si* des guerres monstrueuses ne viennent pas retarder de quelques années l'émancipation du prolétariat[17] ».

---

13. Fr. Stackelberg, *La mystification patriotique*, 1907, p. 9.
14. *Le Peuple socialiste de la Loire*, 4.5.1889, p. 1.
15. *Le Peuple*, Bruxelles, 28.8.1889, p. 1.
16. E. Vaillant, *Le Combat*, Paris, 24.5.1890, p. 1.
17. *Le Peuple*, Bruxelles, 1.1.1889, p. 1.

Une fréquente prosopopée fait avouer au bourgeois face au prolétaire son calcul cynique inavoué : « Voici que les travailleurs s'avisent d'exiger leur place au soleil. Si donc, par une bonne guerre, on pouvait faire dérailler le mouvement, quelle chance[18] ! » Cette prosopopée-ci faisait partie de longue date de l'argumentaire socialiste et provoquait dans les meetings des rumeurs indignées : « Tant qu'on a pu combattre le socialisme, on l'a combattu. Aujourd'hui, il déborde : il faut l'écraser. D'où *nécessité de la guerre*[19]. »

Ces deux *explications* sont contradictoires. Dans un cas, la guerre est une querelle entre grands capitalistes de nationalités différentes, le prolétaire n'a pas à s'en mêler ni à sacrifier sa vie pour eux, mais on le contraint à « mourir sur un champ de bataille pour le Dieu-Capital[20] ». Dans l'autre cas au contraire, la guerre est une *conspiration des capitalistes de tous poils* qui se servent de « l'idole Patrie » pour amener les ouvriers à se massacrer réciproquement et éloigner ainsi pour quelque temps le spectre de la révolution[21] !

Il est un argument complémentaire qui montre le « militarisme » comme l'ennemi de la classe ouvrière. Le militarisme consiste aussi à « jeter des centaines et des centaines de milliards (dont 50 à 60 pour la France) au gouffre de la " paix armée " et à l'avidité criminelle des fournisseurs de la guerre[22] », à dépenser « des sommes fabuleuses dont la perception engendre la misère[23] ».

L'ARMÉE ET L'ÉGLISE

Un paradigme complémentaire montrait *deux* institutions au service de la perpétuation du Capital, l'Église et l'Armée, – le sabre et le goupillon. Cléricalisme, militarisme : deux « piliers » du système capitaliste, deux corps constitués, autoritaires, dogmatiques, identiquement insupportables à ces titres aux tempéraments libertaires, et tous deux au service du maintien au pouvoir de la classe dominante, l'un armé du goupillon, l'autre du sabre.

18. *La cravache*, Reims, 4.5.1907, p. 1.

19. *Roques, L'Égalité*, 22.5.1890, p. 1.

20. *Procès des anarchistes de Vienne devant la cour d'assises de l'Isère*, Paris, 1890, p. 4.

21. André Lorulot, *L'idole Patrie*, Lens, Impr. communiste, 1907, p. 22.

22. *Socialisme et lutte de classe*, revue marxiste, 1.4.1914. p. 175.

23. Antide Boyer, *Almanach de la question sociale 1892*, p. 189.

Pendant l'Affaire Dreyfus, les officiers produits des « jésuitières » et acharnés à la perte du martyr de l'Île du Diable, la collusion des cléricaux et des cocardiers militaristes dans les Ligues anti-dreyfusardes avaient amplement illustré la complémentarité des deux institutions – et celle des deux « religions » destinées à abrutir le peuple, l'ancienne et la nouvelle, celle des calotins et celle des patriotes. Les nouveaux fanatiques de ces deux religions à la fois se plaçaient en dehors de la civilisation :

> Le civilisé peut tomber plus bas encore, au-dessous du dernier cannibale, s'il ajoute à l'exécrable idée de Dieu, l'idée bouffonne et scélérate de patrie, il ne lui reste plus rien à conquérir dans le domaine de la bestialité[24].

« Les bêtes rouges de la caserne et les bêtes noires de la sacristie » s'acharnaient sur leur victime pantelante, le maigre prolétaire : cela faisait une allégorie frappante[25].

CHAIR À CANON OU ASSASSIN DE SES FRÈRES

Jeune Soldat !

> Jeune soldat, la Bourgeoisie te réclame « l'Impôt du sang ». Son rêve est de te prendre tout entier – chair et sang, cœur et intelligence – afin que, jeté à la caserne, tu sois assez inconscient pour te constituer le gardien de ses privilèges, le gendarme de tes camarades d'hier, – et au besoin leur bourreau[26].

Face à la pacifique Internationale des travailleurs, les états-majors et les armées forment « l'internationale des assassins ». Pour le fils du peuple, l'armée est l'« école de l'assassinat ». Il était mis dans l'alternative ou de devenir un jour l'assassin de ses frères en grève, obéissant à quelque « brute galonnée » au service du capital, ou de se laisser transformer en « chair à canon » après avoir été toute sa vie, comme ses pères, « chair à travail » et « chair à dividendes » !

---

24. Tailhade, *Discours civiques*, Paris, Stock, 1902, p. 49.
25. *Le Libertaire*, 14.12.1902, p. 1.
26. *L'Égalitaire*, Brest, 16.2.1908.

Ici se conclut la connexion entre antimilitarisme et propagande néo-malthusienne[27]. La surpopulation, c'était la guerre, non moins que le capitalisme. Le prolétariat n'avait pas à fournir le Moloch Capital en « chair à canon » pas plus qu'il n'avait à contribuer en faisant des enfants à grossir « l'armée des chômeurs » qui avilissaient les salaires... En pratiquant la « génération consciente », en réduisant sa progéniture ou en refusant même de procréer, le prolétaire agissait conformément aux intérêts de sa classe et en vue de la paix. Cela se

---

27. La Ligue de la Régénération humaine est fondée par Paul Robin en août 1886. En vingt ans, sa propagande s'étend immensément. En détaillant avec figures, dans de semi-clandestines brochures, les moyens anticonceptionnels, condoms, pessaires, la poignée d'activistes en ce secteur ont eu certainement une influence concrète sur la vie de bien des couples populaires, il est même peu de cas d'une influence aussi constatable à court terme d'un activisme aux moyens limités, marginalisé par une réprobation quasi-unanime. En 1907 pour la première fois, les statistiques françaises montrent un déficit des naissances sur les décès. Plus de cercueils que de berceaux : *Finis Galliae !* Les néo-malthusiens se réjouissent, les natalistes se déchaînent. Dans la bourgeoisie patriote, le natalisme a exprimé une réaction alarmée à une dépopulation accélérée, constatée dès les années 1880. Les natalistes n'ont simplement pas trouvé de mesures capables d'enrayer le phénomène ; ils ont dénoncé les socialistes, les féministes qui incitaient les femmes à refuser « leur devoir de maternité » et engagé des poursuites contre les néo-malthusiens, ils ont dénoncé à la justice leur « pornographie répugnante » et les tribunaux les ont frappés avec vigueur. De tous les thèmes angoissants qui occupent la classe dominante, la dépopulation suscite le plus grand nombre de livres avant 1914. « La France est atteinte d'un mal dont il est probable qu'elle mourra. Ce mal c'est la stérilité croissante et généralement volontaire. »
Les partis socialistes, peu émancipés des pudeurs traditionnelles et divisés sur ces questions « délicates », craignant les inconvénients de la « prophylaxie », laissent le terrain à ce petit groupe d'anarchistes. L'horreur pour la « fraude conjugale » est d'ailleurs répandu dans tous les milieux sociaux (horreur hypocrite sans doute puisque tous les milieux, de l'avis des démographes, pratiquent une forme quelconque de contraception). Il faut rappeler que, dans la tradition socialiste, les pudibonds ne manquaient pas, au premier rang desquels, Proudhon qui tonne contre le malthusianisme de la classe laborieuse, veut la femme chaste, redoutant le mariage-fornication, les progrès de la débauche, la dépopulation de la France. Proudhon va jusqu'à prétendre que les fouriéristes qu'il hait, prônaient la pédérastie et le saphisme comme remèdes à la fécondité. Au contraire des prudents socialistes, la presse libertaire et anarcho-syndicaliste fait large place à la propagande contraceptive. Quelques bourgeois ont le courage de se rallier. Les adhésions prestigieuses à la Ligue de la régénération humaine, celles de Fournière, Naquet, Mirbeau, Tailhade, ne viennent pourtant qu'après 1900. Jusqu'en 1886, la « fraude conjugale » s'opérait dans le peuple ouvrier ou paysan (remontant en certaines régions, selon les démographes, au XVIIIe siècle) dans une clandestinité de recettes qui n'était éclairée par aucune propagande ni aucune information.

démontrait par l'absurde : à qui profitait le crime d'engendrer de futurs exploités ?

> Prolos, afin que nos maîtres ne manquent ni de soldats pour garder leurs propriétés, ni de travailleurs pour la faire fructifier, croissons et multiplions[28] !

Le but de la propagande néo-malthusienne a toujours été clairement indiqué comme révolutionnaire en lui-même : il ne s'agissait pas de se rendre la vie moins misérable, il ne s'agissait guère d'alléger la servitude des femmes, il s'agissait de « priver la classe capitaliste » de chair à travail (les ouvrières étaient plutôt à classer « chair à plaisir » pour les contremaîtres et les bourgeois libidineux) et surtout de chair à canon. « Tiens bourgeois, si tu veux des soldats, sois soldat toi même, et risque ta peau sur le champ de bataille[29]. » La « génération consciente » est présentée dans les brochures néo-malthusiennes comme l'acte socialiste-révolutionnaire par excellence et la dépopulation croissante est délibérément escomptée comme un moyen de rendre impossible la guerre impérialiste et, tout autant, un moyen de tenir la dragée haute aux patrons et leurs salaires de misère. Le mot d'ordre qui donnait une teinture militante à la contraception a été de faire la « Grève des ventres[30] ». L'ouvrier sortait souvent vaincu de la « grève des bras », mais s'il persistait vingt ans seulement à suivre les conseils des néo-malthusiens, il parviendrait à créer une véritable pénurie de travail salarié et alors, pour les plus convaincus, « tout croulera par la base, les institutions et les hiérarchies [...], sans qu'il soit nécessaire de verser une seule goutte de sang[31] ». La contraception ferait presque l'économie de la Révolution !

Or, justement, la dépopulation, constatée par les statisticiens, effraie dès 1890 les patriotes natalistes. Pour un couple ouvrier, être prolifique, lui reprochait-on, c'était se montrer au fond « patriote ». La Patrie avide disait à la brute inconsciente : « fais-nous des enfants

---

28. Allemane, *Parti ouvrier*, 3.8.1890, p. 1.

29. Faure, *Le problème de la population*, p. 23.

30. Paul Robin accorde la maternité de la formule à Augustine Bron dans *Le Peuple* en 1893. Elle sera popularisée par Séverine.

31. Fernand Kolney, *La grève des ventres*, Paris, « Génération consciente », 1908, p. 13.

pour que nous ayions des soldats ! » Le premier devoir du socialiste était de se refuser à procurer ses victimes au Moloch. Il eût mieux valu « tordre le cou » à sa progéniture que d'augmenter « l'armée des résignés », allaient jusqu'à proférer les trimardeurs anarchistes.

LA POURRITURE DE CASERNE

Spéculative et doctrinaire quand il s'agissait d'expliquer les causes des guerres et de concevoir les moyens de les empêcher, la propagande antimilitariste s'enracinait dans une souvenance intense, écœurée et souvent haineuse, du service militaire, des officiers, de la caserne, « cette invention hideuse des temps modernes[32] ». À contre-courant des prétendus « bons souvenirs » des journaux imbéciles, du folklore bon-enfant, des scrognieunieu du Colonel Ramollot, de la chanson-nette cocardière et de la satire courtelinesque, elle montrait à longueur de pages et de brochures le vrai visage de la caserne, « ce foyer de vices brutaux, de perversions ignobles, de maladies innommables[33] » : l'autoritarisme ignare, la brutalité impunie des « galonnés », les sévices, les injustices, et, en haine du folklore attendri, elle ne mâchait pas ses mots et décrivait en détail avec les souvenirs des vieux militants et les témoignages des jeunes recrues – accueillant avec satisfaction les pour-suites automatiques pour « injure à l'armée ».

> [...] Ce qui précède démontre et au-delà que le glorieux uniforme d'officier et de sous-officier de la glorieuse armée française est souvent endossé par des fripouilles[34].

On peut établir la courte topique des vices de la caserne cons-tamment dépeints : refuge de brutes perverses, d'alcooliques et de « pédérastes » (thème *toujours* allégué en dépit des tabous de l'époque ; le « viril » mouvement ouvrier se pique d'être indemne de ce vice du capitalisme décadent[35]), foyer de syphilis, lieu d'abrutisse-ment, école de la servitude, – vice suprême pour les propagandistes de tempérament libertaire. Quoi de plus affreux que cette obéissance passive exigée pendant plusieurs années d'hommes nés libres ?

---

32. Lorulot, *Idole Patrie, op. cit.*, p. 19.
33. Urbain Gohier, *Aux femmes*, Paris, Temps nouveaux, 1905, p. 4.
34. *La bataille syndicale*, 7.6.1914.
35. Exemple parmi cent : « L'Armée pédéraste », *L'Anarchie*, 14.11.1907, p. 1.

N'est-il pas vrai que des millions d'hommes en Europe, portant le harnais militaire, doivent pendant des années cesser de penser à haute voix, prendre le pas et le pli de la servitude, subordonner toutes leurs volontés à celles de leur chefs, apprendre à fusiller père et mère si quelque despote imbécile l'exige[36] ?

« La caserne, c'est la discipline de fer, l'obéissance passive, l'anéantissement de l'individu[37]... » La caserne prend un jeune ouvrier, fier et prompt à la révolte, elle lui fait revêtir « la livrée sanglante » et, après quelques années, elle « nous rend un troupeau veule, avachi, taré, incapable d'un mouvement affectueux, d'un sentiment généreux, d'une solidarité effective[38] ». Au-delà du tableau des sévices et des brimades qui forment le tout-venant d'une institution destinée à briser l'esprit révolutionnaire, la presse socialiste va multiplier les enquêtes sur les bagnes militaires, sur Biribi, sur les cruautés et les tortures, les meurtres camouflés et les suicides des désespérés des compagnies disciplinaires[39].

CROSSE EN L'AIR ET ROMPONS LES RANGS

Les antimilitaristes avaient un but immédiat et, en dépit des poursuites répétées, ils ne le cachaient aucunement et se flattaient volontiers de résultats, de progrès évidents : il s'agissait de démoraliser l'armée, de la « gangrener » de propagande antipatriotique au point de la rendre inutilisable, peu sûre en situation de répression comme en cas de guerre. Les « révoltes de troubades », les mutineries d'une certaine ampleur des années 1907-1908, l'attitude du 17e de ligne devant les troubles du Midi[40] semblaient répondre aux appels à la désobéissance et, de fait, elles « épouvant[aient] la classe dirigeante[41] ». Le « crosse en l'air » de « l'Internationale » sera emprunté comme titre de nombreux périodiques du début du siècle. À chaque mouvement de rébellion, la presse antimilitariste se frotte les mains et incite les mutins :

---

36. Reclus, *L'évolution, la révolution et l'idéal anarchique*, Paris, Stock, 1898, p. 63-64.
37. Numéro « Conseil de révision », *L'Action syndicale*, 29.3.1908, p. 4.
38. Lorulot, *op. cit.*, p. 21.
39. Ex. « Au bagne d'Oléron. Victimes et bourreaux », *L'Humanité*, 9.8.1907.
40. « Pour les petits gars du 17e », *La Guerre sociale*, 3.7.1907, p. 2. « Nous verrons dans quelques années des régiments entiers lever la crosse en l'air... »
41. Paul Lafargue, *Le Combat*, 20.10.1907, p. 1.

Bravo les soldats ! [...] Soldats, vous serez avec nous. La désobéissance est un devoir[42] !

Bien plus, dans *La Guerre sociale* et dans les journaux syndicalistes, on rencontre régulièrement, au grand déplaisir du reste des socialistes patriotes, des incitations directes à l'insoumission, à la désertion. Cependant à ce point, des avis divergents se faisaient entendre, même dans les papiers les plus radicaux, même dans les feuilles libertaires. Prôner la désertion en masse en cas de mobilisation, en cas d'agression étrangère, n'est-ce pas favoriser fatalement la victoire du pays socialistement le moins avancé ? *La Guerre sociale* finira par ouvrir un débat pour ou contre, lequel tournera à la confusion[43]. Inciter le jeune socialiste à ne pas répondre à l'appel de la classe, c'était le contraindre, objectaient certains, aux misères de l'exil et, en outre, un ouvrier qui désertait, c'était un militant perdu. Il ne manquait pas d'argument contre les « inconscients » qui provoquaient les autres à la désertion.

EMPÊCHER LA GUERRE

La désertion en masse était dénoncée par les états-majors de la SFIO comme « une aberration contre-révolutionnaire[44] ». Une évidente angoisse patriotique se dissimulait derrière cette qualification. Elle était aussi dénoncée, et ceci aurait dû suffire, comme une pure impossibilité. Au contraire, pour les anarchistes et pour une frange des syndicalistes, la question était réglée en un « tu dois donc tu peux » à la fois véhément et abstrait :

> En temps de guerre [...], il est évident que les prolétaires conscients, que les révolutionnaires doivent refuser de participer aux tueries internationales[45].

Il est certain que ce mot d'ordre intransigeant ne pouvait concerner que les minorités agissantes. C'était un choix individuel, éthique, que prônait l'anarchiste Lorulot, non une réponse à la question que se posait le courant antimilitariste depuis le début de ses progrès : comment collectivement et avec la classe laborieuse telle qu'elle était, allait-il parvenir à empêcher la conflagration européenne ?

---

42. Almereyda, *La Guerre sociale*, 12.6.1907, p. 1.
43. 24-30.6.1908 et semaines suivantes.
44. P. Constans, *Le Combat*, Allier, 6.10.1907, p. 1.
45. Lorulot, p. 29.

S'il faut reconnaître un mérite historique au mouvement antimilitariste – mérite qui fut aussi sa chimère, sa tache aveugle, son aporie – cela a été de ne pas se contenter de dénoncer le capitalisme belliciste, la caste militaire, les horreurs de la caserne et la « religion patriotique », mais de prétendre, au-delà d'une propagande démoralisatrice gangrenant le contingent, trouver des moyens collectifs d'empêcher la guerre, – d'en empêcher le déclenchement ou de la faire dérailler en insurrection générale. Si volontaristes et si souvent entraînés par leur rhétorique qu'aient été les idéologues de ce secteur, si radicalement qu'ils aient sous-estimé la dynamique patriotique et guerrière comme le leur montrera (y compris dans leurs propres reniements) juillet-août 1914, ils ont cru avoir justement mesuré l'extrême difficulté, ils ont tâtonné et débattu passionnément avant d'arriver à une stratégie à laquelle ils se sont tenu, avec son immense espérance et ses taches aveugles.

La première thèse qui les a persuadés et qui reconfirmait l'unité *logique* du socialisme et du pacifisme, était que les progrès internationaux mêmes du socialisme et l'entente des partis européens pour le maintien de la paix allaient agir comme *dissuasifs* face aux menées bellicistes du capitalisme. Il fallait donc renforcer le mouvement ouvrier et sa puissance devenue immense suffirait le jour venu à faire hésiter les gouvernants, et sans coup férir. La bourgeoisie française, allemande, anglaise pouvait redouter que toute guerre qu'elle déclencherait marquerait la « fin de son règne » et que les socialistes à travers les frontières seraient assez forts et unis pour simplement dire non et lui faire payer son crime. À chaque crise européenne ou coloniale où la guerre était évitée de justesse, on pouvait se répéter que l'opposition tranquille et résolue de l'Internationale avait été pour quelque chose dans la prudence *in extremis* montrée par les puissances. Hervé exprime en 1910 on ne peut plus clairement cet espoir :

> Les chances de guerre et de paix se balancent en ce moment. De quel côté va pencher la balance ? Du côté de la paix si la classe ouvrière internationale le veut, pourvu qu'elle le veuille avec passion[46].

---

46. Gustave Hervé, *L'internationalisme*, Paris, Giard & Brière, 1910, p. 86.

Pour cette fois, Hervé et Jaurès disaient à peu près la même chose et partageaient la même illusion, il s'agissait seulement de *vouloir* et de s'organiser. « Même dans le chaos capitaliste, il est possible aux prolétaires, s'ils le veulent bien, de prévenir et d'empêcher la guerre[47]. » C'est à cette idée qui ramenait la question à une volonté commune imperturbable qu'aboutit le Congrès de l'Internationale de Stuttgart en 1907, affirmant en une résolution laborieuse, édulcorée, produit de dizaines d'amendements, « que le devoir du prolétariat était de redoubler d'efforts pour prévenir les guerres » et ce, « par tous les moyens », mais sans qu'on précisât bien lesquels car toutes les réticences étaient là, dans le détail des « moyens[48] ».

Il est certain que, dans l'esprit de Jaurès dès 1905, cette tâche était devenue la première tâche historique de l'Internationale et celle à laquelle il allait consacrer tous ses efforts. Les jaurésistes ne cesseront d'appliquer à leur volonté socialiste d'imposer la paix la méthode Coué : il fallait répéter obstinément et avec confiance le *mantra*. « Marchons tous pour l'entente franco-allemande. Nous l'imposerons[49]. »

Cependant, mis devant la mobilisation et le déclenchement des hostilités que ferait, que pourrait faire le Parti ? Une seule thèse existait, aussi ancienne que le socialisme puisqu'affirmée déjà par les congrès de Bruxelles, 1868, et de Lausanne, 1869, de la Première internationale : la grève générale en cas de guerre. « Décrétons la grève aux armées », écrit Pottier dans « l'Internationale » qui *versifie* en fait les grandes motions des congrès de l'AIT.

Des centaines de fois dans les congrès, des esprits rassis l'avaient analysée comme chimérique, cette thèse, mais un demi-siècle plus tard on n'en avait pas trouvé d'autre et les efforts des antimilitaristes vont se concentrer sur la tentative obstinée de donner à ce vieux mot d'ordre une nouvelle crédibilité. « Formule magique », disent aujourd'hui les historiens ; rétroactivement, c'est évident[50]. Le syn-

---

47. Jaurés dans *Socialisme et internationalisme*, p. 9.
48. *Cri du travailleur*, 1.9.1907, p. 1.
49. Marcel Sembat, *Le Combat*, Allier, 22.11.1908, p. 1.
50. Jean-Jacques Becker, *1914. Comment les Français sont entrés en guerre*, Paris, presses de la FNSP, 1977, p. 115.

dicalisme français (l'allemand se montrait plus que réticent, que ce fût par patriotisme inavoué ou par simple bon sens, reprochant aux Français de brandir une menace qu'ils étaient incapables de réaliser) investit tous ses espoirs dans le déclenchement de la grève générale en cas de guerre. C'est la position officielle de la CGT depuis le XVIe congrès national de Marseille en 1908. Elle n'en déviera pas et maintiendra dans ses statuts jusqu'en août 1914 la formule : « À toute déclaration de guerre, les travailleurs répondront par la grève générale insurrectionnelle. »

Insurrectionnelle, cela allait de soi. Cette grève générale, victorieuse, devrait aller jusqu'au bout de sa lutte sans quartier contre les bellicistes capitalistes et en avoir raison. Ce serait donc la Révolution ! « Si la guerre éclate, comment procéderons-nous ? L'insurrection ? Sans doute. » Mais il fallait prévoir comment exactement, qui en donnerait l'ordre. Feindrait-on d'accepter l'ordre de mobilisation pour s'emparer des armes ? Ne serait-ce pas se jeter dans la gueule du loup ? Ne valait-il pas mieux refuser l'appel[51] ? Et que ferait le prolétariat en cas d'agression étrangère ? Il était facile de redire le principe, « il reste bien entendu que quelles que soient les raisons de la guerre et quel que soit l'agresseur, nous ne marcherons pas[52] », mais dans les dix années de son existence, *La Guerre sociale* n'a cessé de tourner en vain autour des moyens pratiques et « sûrs » de réagir, renforçant ses résistances aux objections en raisonnant « par les conséquences », c'est-à-dire en se refusant à raisonner : si on accepte de distinguer guerre d'agression et guerre défensive, on se met à la merci de la propagande bourgeoise et de ses mensonges, il faut donc dire qu'on s'opposera à la guerre dans tous les cas de figure, ... mais cette attitude ne faisait que renforcer l'irréalisme de la position de départ. Et comment combiner et organiser, en pleine répression, cette grève générale ?

Les anarchistes voyaient, eux, l'insurrection qu'ils prônaient aussi, comme résultant d'initiatives individuelles ultra-violentes ; c'était leur style, mettre à feu et à sang et puis on verrait bien, l'avantage était qu'au moins ceci ne réclamait pas une organisation centrale : procé-

---

51. Hervé, *La Guerre sociale*, 17.6.1908, p. 1.
52. *Ibid.*, 2.9.1908, p. 1.

der à des « exécutions sommaires », allumer des « incendies au hasard »... « Chaque anarchiste devrait posséder dès maintenant au moins un browning, etc.[53] »

Dans la SFIO, les objections venaient des guesdistes surtout, constamment opposés aux « braillards » de l'antimilitarisme. Jules Guesde objectait qu'avec la grève générale, que seuls les Français semblaient préconiser, la nation la plus socialiste serait livrée à celle qui le serait le moins ; c'était l'argument qui avait servi contre le mot d'ordre de désertion.

Jean Jaurès endossait au contraire officiellement la stratégie et il présentera encore une motion le 16 juillet 1914 au Congrès de Paris qui dit que le Parti « considère comme particulièrement efficace la grève générale ouvrière simultanément et internationalement organisée ». « Simultanément », exprimait la condition et le bémol que depuis toujours il mettait. La seule vraie question, à jamais insoluble, est de savoir s'il y croyait lui-même ou jusqu'à quel point....

On peut répondre de façon floue pour le monde socialiste et d'ailleurs un peu pour tout le monde avant 1914 : oscillant entre l'idée magique que finalement la guerre serait évitée encore et toujours, toujours de justesse, et l'idée catastrophique que, si elle devait malgré tout se déclencher, ses conséquences immédiates étaient imprévisibles, que la suite était incontrôlable, qu'elles déjoueraient les calculs des capitalistes et des états-majors comme elles déjouerait les plans des antimilitaristes eux-mêmes et que, dans cette incertitude totale, brillait l'espoir de la révolution, le militant au bout du compte *s'en remettait à l'incertitude* de l'avenir et à la fatalité révolutionnaire selon l'obscure logique qui fait que le bien sort parfois du mal absolu :

> Pour moi, j'ai la conviction que cette maudite guerre n'éclatera pas. [Mais si elle devait survenir], il y aura du jour au lendemain une épouvantable crise générale qui accouchera de la famine et celle-ci fatalement de la Révolution, aussi bien dans les villes, dans les campagnes que dans l'armée. Et c'est précisément en vue de cela qu'il ne faut pas bavarder à l'avance, mais se tenir sérieusement prêts[54].

---

53. *Le Mouvement anarchiste*, 5 : 1912, p. 116.
54. A. Cipriani, *L'Égalitaire*, Brest, 15.8.1908, p. 1.

V

L'ANTIPATRIOTISME, CORRÉLAT
DE L'ANTIMILITARISME

« L' antimilitarisme ne peut être complet sans l'antipatriotisme », pose vers 1908 l'anarcho-syndicaliste
Broutchoux[1]. La *Guerre sociale* confirme cet axiome et
l'englobe dans la juste ligne syndicaliste-révolutionnaire : « L'antipatriotisme est une des faces du socialisme syndicaliste[2]. » C'est bien
cette volonté d'être conséquent avec une logique doctrinale, c'est ce
volontarisme qui vont, par un premier effet pervers, éloigner du
syndicalisme révolutionnaire bon nombre de militants de la SFIO,
petits employés et ouvriers, détestant certes la caserne, la « caste »
militaire, récusant l'« impôt du sang » que la bourgeoisie exigeait du
peuple ... mais vibrant malgré tout aux accents de la Marseillaise et à
la vue des trois couleurs et combinant tant bien que mal l'amour de la
France républicaine à l'internationalisme prolétarien et à la haine des
nationalistes.

---

1. Préface de M. Broutchoux dans Lorulot, *L'idole Patrie et ses conséquences :
le mensonge patriotique, l'oppression militariste, l'action antimilitariste*, Lens, Impr.
Communiste, 1907.

2. *Guerre sociale*, 6.3.1907, p. 2.

Pendant dix ans et plus, les idéologues de l'extrême gauche, loin de tempérer leurs sorties véhémentes contre « l'idole Patrie », s'acharneront, exaspérés, à démontrer aux militants réticents leur inacceptable inconséquence sur ce point et ses dangers. « L'internationalisme conscient doit nécessairement aboutir à l'antipatriotisme. [...] Tout se tient : le patriotisme nécessite le militarisme qui lui même n'a d'autre but que la guerre[3]. » Tout se tenait en effet, logiquement : patrie–armée–guerre. La Marseillaise pouvait enthousiasmer les « patrouillotes » des cafés-concerts et des retraites aux flambeaux, seule l'Internationale devait « faire vibrer les nerfs de la classe ouvrière consciente[4] » – et les paroles de l'Internationale indiquaient le sens « de classe » et la portée de l'internationalisme révolutionnaire : « Paix entre nous, guerre aux tyrans », mot d'ordre entraînant derechef le slogan du défaitisme révolutionnaire : « Crosse en l'air et rompons les rangs... »

Les antipatriotes avaient la logique pour eux sans nul doute : c'est l'occasion de s'interroger sur le rôle de la *cohérence* dans les croyances et les actions militantes et sur l'échec historique qui guette presque fatalement, au décri de leur perspicacité même, les idéologues pour qui la cohérence, la rigueur est la pierre de touche de la « ligne juste » – en même temps qu'un critère moral de « pureté » idéologique. Fût-ce avec le recul du temps et avec le souvenir de la guerre civile européenne de 1914-18 qu'ils ont à leur façon « vue venir », la cohérence de l'attitude antipatriotique, cohérence qui se renforce d'une juste anticipation du carnage qui menaçait et vers lequel débouchait l'excitation patriotique du début du siècle, a conduit le mouvement à l'échec, à la débandade, précédés de dix années d'analyses irréalistes obstinées, de fuites en avant et de dénégations vaines de ce qui faisait irréductiblement obstacle. Pour les esprits un peu rigide, s'il en reste, qui tendent à poser l'axiome : « périsse l'évaluation du possible pourvu que la position théorique soit juste », les antimilitaristes de l'avant-guerre devraient donner à penser : ils illustrent à la fois la justesse courageuse partielle et tout l'aveuglement inhérent de la morale politique volontariste.

---

3. Flax, *Guerre sociale*, 23.10.1907, p. 1.
4. Bracke, *La Défense*, Troyes, 12.7.1907, p. 1.

LE SENS DE L'INTERNATIONALISME

L'Internationalisme se définissait comme l'entente des travailleurs exploités, à travers les frontières, pour la défense de leurs intérêts communs, préparant, par cette entente toujours plus fraternelle, la révolution mondiale qui viendrait à bout du capitalisme. Les congrès internationaux, ces « assises du prolétariat universel », qui reprennent, après l'arrêt qui avait suivi la dissolution de l'Association Internationale des Travailleurs, la « reconstitution » administrative de l'Internationale en 1891, la célébration du 1er mai sont censés témoigner des progrès de l'esprit internationaliste. La Fête du travail, le 1er mai, lancée en 1890, avait été un des succès concrets, et d'emblée international de fait, de la doctrine avec sa revendication universelle des « huit heures » – et cette fête qui faisait si peur aux bourgeois avec ses drapeaux rouges avait formé par la suite la démonstration annuelle immanente de ses progrès continus :

> Le congrès international ouvrier de Paris [de juillet 1889] a [choisi le 1er mai 1890] pour une grande manifestation internationale ouvrière chez tous les peuples et dans tous les pays à la fois. [...] La date du 1er mai 1890 a été choisie, c'est qu'on a compris que les travailleurs ne pouvaient plus attendre parce que les souffrances et les misères de toutes sortes débordaient son pleint [*sic*][5].

Depuis toujours, la doctrine internationaliste comportait sa part de chimères volontaristes : les ouvriers du monde entier étaient et se sentaient frères, leur seul ennemi était le capitalisme cosmopolite et ils lui feraient voir. « Les travailleurs français ne voient plus dans l'ouvrier étranger qu'un paria comme lui[6]. » « Opposons à l'Internationale des juifs, christianistes, francs-maçons et autres cosmopolites des classes dirigeantes, l'Internationale des exploités[7] ! »

Ces slogans volontaristes visaient à démontrer que le sentiment patriotique était devenu étranger au prolétaire conscient et organisé. Le patriotisme « est donc une stupidité criminelle. [...] Le cosmopolitisme est la *conséquence* du socialisme et ne va pas sans lui[8]. » Le

---

5. Rapport de police du 28.3.1890, réunion socialiste, Arch. Préf. Police [M6-3405.
6. *Le Prolétariat*, 14.12.1889, p. 1.
7. *Cri du travailleur*, 16.3.1890, p. 3.
8. C. Bazin, *L'Égalité*, 31.7.1889, p. 2.

socialisme travaillait à « l'union internationale des peuples pour marcher à la conquête de l'affranchissement humain[9] ». « Nous ne voulons plus qu'une nation : l'Humanité[10] ! » « À bas la patrie, vive l'humanité ! » Toutes ces citations datent des années 1880-1890 ; elles sont bien antérieures à l'émergence de l'antipatriotisme doctrinaire et actif qui se répand dans les douze années qui précèdent la Grande guerre. On voit que celui-ci n'a rien inventé ni rien réorienté : il n'a eu qu'à *dégager* ce qui depuis toujours fonctionnait à l'évidence dans le mouvement ouvrier, – avec la part de phraséologie lyrique et de fausse conscience que l'évidence comporte. « Vive la fraternité des peuples ! » s'écriait l'ouvrier de 1848. « Vive l'Internationalisme prolétarien ! », criait l'ouvrier de la prétendue Belle Époque. Une rêverie humanitaire accompagne le socialisme depuis sa naissance. Les définitions que l'on donne du « socialisme » comportent toujours cette composante :

> Sont socialistes ceux qui luttent pour la constitution de la propriété collective, l'égalité des salaires, l'entente ou la fusion des nationalités[11].

LE PROLÉTAIRE COMME SANS-PATRIE

« Les patries bourgeoises [ont été] forgées par le haut capitalisme moderne[12]. » « Une patrie, c'est un syndicat de capitalistes. » Le capitalisme, c'est la guerre parce que la guerre profite aux « marchands de canons » et que la concurrence des marchés l'engendre fatalement ; mais le patriotisme que le capital promeut et soutient, aidé par la jobardise d'une partie des masses populaires, c'est la guerre fratricide tout autant puisqu'il « l'enfante », qu'il y pousse et la légitime d'avance. « Le patriotisme, c'est la collaboration de classe » : il résulte des énoncés qui précèdent qu'un ouvrier patriote est un traître[13].

---

9. *Voix du peuple*, Marseille, 15.9.1888, p. 1.

10. Éditorial, *Le Parti ouvrier*, 11.9.1889, p. 1.

11. Anatole Baju, *Principes du socialisme*, préf. de Jules Guesde, Paris, Vanier, 1895, p. 24.

12. *Mouvement anarchiste*, mai 1912, p. 114.

13. Hervé, *Le Congrès de Stuttgart et l'antipatriotisme*, Paris, La Guerre sociale, [1907], p. 16.

C'était redire *a contrario* que « les prolétaires n'ont pas de patrie » parce qu'ils n'ont pas d'intérêts nationaux à défendre et qu'ils n'ont aucune raison de défendre avec leur peau les « rapines » de leurs exploiteurs[14] ! Les ouvriers n'ont pas de patrie, « on ne peut leur enlever ce qu'ils n'ont pas », disait Marx : les antimilitaristes avaient retenu le raisonnement du *Manifeste communiste* et se bornaient à le développer. Être socialiste, c'était déjà être et accepter d'être un sanspatrie. « Le socialisme groupe les hommes, pauvres contre riches, classe contre classe, sans tenir compte des différences de race et de langage, par dessus les frontières tracées par l'histoire », développe Gustave Hervé qui signe toujours – sous le coup de condamnations successives qui le forcent à l'anonymat – « Un Sans-Patrie » à la *Guerre sociale*[15]. Injure pour les nationalistes, titre de gloire pour le révolutionnaire ! Et Victor Griffuelhes de la CGT expose le raisonnement que doit se tenir tout syndicaliste :

> Je suis étranger à tout ce qui constitue le rayonnement moral de ma nation, je ne possède rien [...] Donc, rien de ce qui pour certains, forme une patrie n'existe pour moi. Il faut dit-on défendre le sol de la patrie ! Je n'y vois pas d'inconvénient mais à condition que les défenseurs soient les propriétaires de ce sol[16].

Les bourgeois en ont peut-être une, de patrie : c'est le coin de terre où ils peuvent exploiter les autres et se « repaître de leurs rapines » ! Dépourvus de patrie, les travailleurs de tous les pays, courbés sous le même joug, appartiennent, eux, à l'Humanité ! Si les bourgeois voulaient se montrer patriotes, ayant leurs propriétés, leur « patrimoine » à protéger, répétait le militant goguenard, nul ne les empêchait d'aller seuls se faire trouer la peau :

> Mais puisque vous l'aimez tant, cette patrie, gardez-la donc et surtout défendez-la au moins, au lieu de nous la faire défendre[17] !

---

14. Devaldès, *Chair à canon*, p. 7.
15. Hervé, *Patrie, op. cit.*, p. 7.
16. Victor Griffuelhes, *L'action syndicaliste*, Paris, Rivière, 1908, p. 39 et 41.
17. *Question sociale*, mars 1885, p. 77.

Le sentiment patriotique ainsi conçu comme naturellement étranger au prolétaire, n'est plus qu'un « prétexte aux gouvernants pour légitimer ce fléau : le militarisme[18] ». Ce « prétexte » est la source du mal : il a partie liée avec tous les maux présents, il est la légitimation du bellicisme et la cause anticipée de la guerre future[19]. « *Il faut supprimer les patries* », chantait-on dans les réunions syndicales :

> Non, plus de ces combats sanglants / De ces ignobles boucheries /Pour le bonheur de nos enfants/Il faut supprimer les patries[20].

« Le patriotisme n'a aucune raison d'être pour le misérable ; et si l'on profite de son ignorance pour lui en inculquer pendant son enfance la plus forte dose possible, c'est parce que, grâce à ce sentiment, on l'empêche plus tard de voir que son véritable ennemi n'est pas l'ouvrier étranger[21]. » Qu'est-ce qui distinguait un ouvrier allemand d'un ouvrier français ? Rien, ils étaient absolument jumeaux ! « Rivés à une même chaîne, condamnés à un même esclavage, victimes d'une même exploitation, leurs revendications sont les mêmes, leur but est identique[22]. » D'où ces mots d'ordre qui déclenchaient les ovations bien sincères des meetings : « Plus de patries ! Plus de frontières ! L'union de tous les producteurs contre tous les parasites[23] ! »

Le socialiste français n'entretenait aucune animosité chauvine contre les « Alboches ». Au contraire, il appréciait en Allemagne les progrès très rapides de la social-démocratie, digue contre le bellicisme de sa caste militaire : « c'est au développement des idées socialistes en Allemagne que l'Europe doit d'être en paix[24] ». La presse socialiste faisait la chronique élogieuse des grèves et des luttes des camarades

---

18. Grave, *L'anarchie, son but, ses moyens*, Paris, Stock, 1899, p. 14.

19. Broutchoux, dans Lorulot, *op. cit.*, p. 2.

20. Paroles de la chanson dans *L'Action syndicale*, 12.7.1908.

21. *Ça ira*, Paris, anar., 20.10.1888, p. 2.

22. *Le Réveil du peuple*, POSR, 30.3.1890, p. 1. Et F. Stackelberg en 1907 cette fois dans *La mystification patriotique*, brochure de propagande répandue : « La différence qui sépare un ouvrier de Paris d'un ouvrier de Berlin dont les intérêts solidaires exigent moins de surmenage et plus de bien-être, est absolument **nulle.** » (p. 5).

23. *Almanach de la question sociale 1895*, p. 138.

24. *Revue européenne*, guesdiste, 1 : 1889, p. 4.

allemands. Et les compagnons anars, ne fût-ce que pour exaspérer les revanchards et les ligueurs, disaient volontiers leur sympathie aux « bons bougres d'Allemagne » : « Y a pas nom de dieu, c'est pour la Sociale qu'ils marchent », se réjouit le Père Peinard[25]. Il n'y a guère peut-être que les révolutionnaires russes qui ont fait l'objet d'une « couverture » de presse plus continue et enthousiaste entre 1900 et la Guerre.

L'IDOLE PATRIE

Le patriotisme n'est donc pas naturel aux hommes, il n'est pas le propre des âmes bien nées comme le prétendait le bourgeois hypocrite et satisfait. « La patrie... mais qui donc a inventé ce mot si ce n'est ceux qui nous gouvernent[26] ! » Le « fantoche patriotique[27] » est au contraire une simple « fiction », c'est une « idole » moderne, une « mystification » habile, – « un piège tendu au peuple pour le détourner de son but », le collectivisme, la destruction du capitalisme international[28]. Le capitalisme avait l'art, selon le vieil adage, de diviser pour régner.

Les antimilitaristes construisaient une alternative historique, un peu analogue au *Socialisme ou barbarie* d'Engels et de Kautsky : ou bien la victoire serait à la Révolution, ou la victoire serait celle des capitalistes patriotes avec les tueries de révolutionnaires qu'ils fomentaient et qui éloignerait pour longtemps l'espérance collectiviste. « Le patriotisme est le plus puissant des obstacles qui se dressent devant la révolution sociale », formule Gustave Hervé[29]. Et aux socialistes français qui affirmaient encore que l'amour de la République n'était

---

25. *Père Peinard*, 19.5.1889, p. 1.

26. *Question sociale*, 3 : 1885, p. 76.

27. Formule rencontrée dans *Le salariat*, 30.11.1890, p. 1. On trouve aussi le « leurre patriotique ».

28. *L'affamé*, 15.5.1884, p. 1.

29. Hervé, *Leur patrie*, Paris, Bibliothèque sociale, 1905. On rencontre aussi l'idée qu'après la Révolution, la division de l'humanité en nations serait le principal obstacle à la collectivisation. D'où la thèse d'une révolution simultanée dans tous les pays, au moins « civilisés ».

pas un patriotisme comme les autres, il réplique brutalement :
« Quand Marianne aura sa crise, nous serons là pour lui administrer
l'extrême-onction[30] ! »

La patrie comme simple « mot sonore », le patriotisme comme
« tromperie », « leurre », « mensonge », « mystification » roublarde
inventée par la classe bourgeoise pour conserver le pouvoir, cela avait
été en effet, dès les années 1880, la thèse unanime des anarchistes qui
en tous secteurs de la morale civique ou privée faisaient profession
de « ne pas y couper », – thèse qui peu à peu avait fait son chemin
dans l'extrême gauche et y avait triomphé. Au milieu des années 1880,
face à la Ligue des Patriotes de Déroulède (lequel se jettera dans les
bras de Boulanger), des anarchistes parisiens créent une « Ligue des
antipatriotes » – et voici le mot attesté[31].

Mystification sanglante et meurtrière, le patriotisme était concurremment présenté comme une *absurdité* ; il heurtait la raison comme
il menaçait l'humanité pacifique.

> Historiquement, la patrie est instable. [...] Géographiquement, la patrie
> n'existe pas. [...] Sociologiquement, la patrie est une tromperie. Elle
> rassemble sous le même drapeau des hommes aux mœurs, coutumes,
> langages, habitudes, religions différents. [...] Peut-il exister une aberra-
> tion plus folle que le patriotisme, une supercherie plus grossière et plus
> cynique[32] ?

Un récit explicatif développait la thèse et confirmait le caractère
factice de cette idéologie contre-révolutionnaire. Face à l'effondrement de la religion des calotins, laquelle avait servi immémoriellement
à mystifier le peuple et à le détourner de la révolte émancipatrice, les
bourgeois aux abois s'étaient arrangés pour inventer en hâte et
imposer avec une certain succès aux masses serviles une « religion
nouvelle », pour « substituer » un « dogme nouveau », une religion de
haine, de mort (tout autant que l'avait été l'autre), la « religion patriotique[33] ». Pas sots, les bourgeois ! Le vieux Guizot avait dit qu'il « fallait

---

30. *Guerre sociale*, 8.7.1908.

31. « Antipatriote » est attesté antérieurement mais dans un sens réprobateur.
Cf. Dubois, *Vocabulaire etc.*, p. 214 et *passim*.

32. Lorulot, *L'Idole patrie*, p. 17.

33. Voir par exemple Augustin Hamon, *Patrie et internationalisme*, Paris, Blot,
1896.

une religion pour le peuple », ses descendants, ayant compris que les absurdes fables du « prestidigitateur de Nazareth » ne rendaient plus, avaient trouvé mieux et mieux adapté à leurs projets sanguinaires.

> Ah ! Ils ne sont pas fous les capitalistes. Longtemps ils se sont servis du prêtre pour se procurer des créatures viles. [...] Aujourd'hui c'est à l'idole patriotique [...], c'est à la caserne avachissante que les actionnaires repus font appel[34].

Dans les deux cas, le militant sceptique reconnaissait une « blague » énorme, blague inventée autour d'une Chose irréelle et impalpable, « la Patrie non moins invisible. Comme Dieu, elle a ses prêtres[35]... » La presse anarchiste ne dénonce pas les « patriotes », mais, écrit-elle volontiers, les « clérico-patriotes ». Car le socialiste ou l'anarchiste athées endossent encore la vieille thèse qui avait été celle de quelques encyclopédistes : les religions ont été inventées de toutes pièces par les despotes pour abuser les foules. « Le patriotisme de la bourgeoisie est comme la religion de Tartuffe : c'est pour tromper les gogos[36]. »

L'affaire pressante du militant conscient et organisé était d'extirper cette nouvelle foi morbide, ce « nouveau cléricalisme » qui abrutissait la classe ouvrière, à peine à peu près débarrassée de l'autre, et préparait les massacres où les prolétaires ignorants consentiraient à « s'entr'égorger » pour le seul bénéfice des marchands de canons, « la *patrie* bornée, égoïste et lâche des capitalistes, soufflant la haine, entretenant l'esprit de meurtre dans les masses[37] ».

Au cours des années de l'Affaire, l'extrême gauche avait du reste pu constater dans toute leur hideur menaçante les progrès de la religion nouvelle, rebaptisée du nouveau nom de « nationalisme », et l'audacieuse bassesse de ses zélateurs. Les campagnes nationalistes ont exacerbé l'antipatriotisme des socialistes :

> Cette populace crie « Vive l'armée », beugle « Mort aux juifs ! » et promène son irréductible turpitude sous les trois couleurs du chiffon national[38].

---

34. *L'Action syndicale*, Lens, 12.4.108, p. 1.
35. *Combat social*, Limoges, 7.2.1908, p. 1.
36. *Le cri du peuple socialiste*, Brest, 24.10.1908, p. 1.
37. *Revue anrchiste internationale*, novembre 1884, p. 2.
38. Tailhade, *Discours civiques. 4 nivôse, an 109-19 brumaire, an 110*, portr. de Félix Vallotton, Paris, Stock, 1902, p. 51.

Il fallait concéder que les travailleurs n'étaient pas indemnes de cette infamie, d'autant plus répugnante qu'elle l'amenait à défendre un ordre de choses qui l'opprimait, à s'allier avec ses ennemis de classe contre ses frères nés au-delà d'un fleuve ou d'une montagne – mais en assurant aussitôt que, la propagande aidant, ils étaient en passe de revenir à la santé mentale :

> Quant au peuple français, il évolue vers le socialisme et revient peu à peu de sa longue aberration patriotique dont il a toujours été la dupe[39].

Ce constat indiquait la voie au révolutionnaire conscient ; il ne fallait qu'encore un effort, un grand coup d'épaule pour « démolir l'idole patriotique ». « Le syndicat par intérêt ; les groupes et individus révolutionnaires par conviction, attaquent l'armée et le préjugé patriotique parce que ces puissances imbéciles et oppressives n'ont de raison d'être que dans une société capitaliste et surtout parce qu'elles furent instituées dans l'unique but [...] de sauvegarder le capital et la propriété. [...] La puissance militariste diminuera à mesure que grandira l'idée antipatriotique[40]. » On en revient toujours à la démonstration de la cohérence de la position, garante de son succès.

NOTE SUR L'ANTICOLONIALISME

L'antipatriotique *Guerre sociale*, accumulant stoïquement les poursuites et condamnations tous azimuts, a été aussi le principal vecteur avant 1914 de la dénonciation des crimes coloniaux et du colonialisme. Il faut d'abord rappeler qu'il y eut des socialistes colonialistes comme le jaurésien Lucien Deslinières : j'en dis quelques mots plus bas. Cependant, le socialisme en général a été dès ses débuts hostile aux entreprises coloniales, il a haï Ferry-le-Tonkinois et vu dans les Fachoda et autres affrontements impérialistes des facteurs de guerre européenne possible où les prolétaires seraient entraînés. Il a vu aussi dans les entreprises coloniales un prétexte à entretenir les armées permanentes. Il a diffusé toute une littérature anticoloniale, notamment les romans à thèse de Fèvre, Darien, Vigné d'Octon.

---

39. Stackelberg, *La mystification patriotique*, Paris, 1907, p. 7.
40. Broutchoux, *Action syndicale*, 29.9.1907, p. 1.

Une fois encore pour la doctrine orthodoxe, toute la question des colonies revenait au *Delenda Carthago*, à la fin du régime capitaliste qui réglerait tout. « Le colonialisme est le chancre du capitalisme. Il ne disparaîtra qu'avec lui et ses chiens de garde altérés de sang », écrit le marxiste Charles Rappoport[41].

Il a fallu longtemps aux socialistes pour prendre cependant parti, à titre d'exploités, en faveur des peuples coloniaux en lutte contre la France et aux prises avec son armée. C'est ce que fait *La Guerre sociale* au cours de plusieurs années, – 1906-07-08, – de dénonciation du « Brigandage marocain » et de la prétendue « pénétration pacifique » de la France au Maghreb :

> Braves Beni Snassen, cognez ferme sur les bandits qui vous envahissent ! Ils finiront par vous écraser, comme ils nous écrasent ici ; car ils sont les plus forts. Mais du moins faites payer cher à tous nos tartuffes patriotes, chrétiens ou républicains, leur hypocrisie et leur ignominie. Allez-y ! Ne les ménagez pas ! Allah est avec vous, et nous aussi[42] !

Quant aux contre-projets socialistes, ils ne brillent pas par un excès de réflexion ni de clarté. Tout au plus envisagent-ils, venus au pouvoir, un *autre* colonialisme, doux et humanitaire : « À la politique coloniale actuelle, il faut opposer une forme supérieure, prenant une voie pacifique pour développer les peuples qui sont à un degré inférieur[43]. »

Et dans la future fraternité des peuples, l'État socialiste conservera-t-il des colonies ? On peut croire la question oiseuse, mais Lucien Deslinières (blâmé, il est vrai, par certains) les conserve bel et bien à la France collectiviste[44]. Il les montre « indispensables aux nations collectivistes » qui seront en pleine expansion industrielle. Le socialisme ne devra tout de même pas étendre le domaine colonial de la France, mais le « mettre en valeur » et « considérer le temps comme le principal facteur de l'œuvre civilisatrice[45] ». Les indigène « ont tout

---

41. *Le socialisme*, 20 : 29.3.1908.

42. « Hardi les Marocains ! », Décembre 1907.

43. « Le socialisme et la guerre », *Le socialiste*, 12 mai 1907.

44. Il en est blâmé par Sixte-Quenin, *Comment nous sommes socialistes*, [*Encyclopédie socialiste, vol. 6*], Paris, Quillet, 1913.

45. Deslinières, *L'application du système collectiviste*, préf. de J. Jaurès, Paris, Revue socialiste, 1899, p. 318-319.

à gagner à la tutelle socialiste qui les traiterait avec bonté[46] ». Lucien Deslinières, un jaurésiste auteur de nombreux ouvrages sur la société après la révolution, est, autant que je sache, presque le seul de son avis. L'anticolonialisme est au programme des partis. Il manque simplement à ceux-ci une conception quelconque du développement des peuples non industrialisés extra-européens, de leur identité propre et des formes que pourrait prendre leur émancipation.

___

46. Deslinières, *Comment se réalisera le socialisme*, Paris, Librairie du parti socialiste, 1919, p. 18.

VI

INTERNATIONALISTES
MAIS PATRIOTES

O n connaît ce passage-clé au milieu de *Notre jeunesse,* où Charles Péguy, distinguant la « mystique socialiste » de jadis, cette « religion du salut temporel », dit-il, de la politique socialiste actuelle qui l'a « dégradée », « dénaturée », répudiant à la fois le socialisme parlementaire de 1910, le socialisme des « politiques », et le syndicalisme d'« action directe », antiparlementaire, « antipolitique », celui des « antipatriotes professionnels », dit attendre du retour au socialisme authentique l'instauration d'un « ordre nouveau » fondé sur « l'amour du travail », ordre nouveau mais « nullement moderne », – toutes formules rassemblées en quelques pages qui ont un extraordinaire mais contradictoire et redoutable avenir :

> Notre socialisme même, notre socialisme antécédent, commence-t-il, à peine ai-je besoin de le dire, n'était nullement antifrançais, nullement antipatriote, nullement *anti*national. Il était essentiellement et rigoureusement, exactement *inter*national. Théoriquement, il était nullement anti-nationaliste. Il était exactement internationaliste[1]...

---

1. Page 130 de l'éd. Gallimard, 1933.

Qui ne connaîtrait pas le contexte croirait trouver dans ces deux pages de *distinguo* une dénégation confuse d'homme de lettres, socialiste convaincu mais marginalisé puisque éperdûment hostile, à la fois, à Jaurès le politique et à Hervé l'antipolitique – et dont la contre-proposition inquiétante sera muée (à titre posthume) en la préfiguration d'un fascisme d'« Ordre nouveau ».

Ce que le gérant de la Librairie Bellais et rédacteur des *Cahiers de la Quinzaine* veut exprimer est cependant limpide dans son contexte historique : nous avons, suggère-t-il, lutté pendant douze ans en compagnie des dreyfusards en nous laissant traiter de « mauvais Français » par les nationalistes. Or, voici que dans les rangs de la SFIO, Gustave Hervé et ses pareils, ces idéologues que Jaurès n'a pas le courage de désavouer ou est trop manœuvrier et trop duplice pour ce faire, viennent vous dire, viennent dire à tous échos en votre nom : À bas la France, les trois couleurs à la voirie, ce Dreyfus n'a pas trahi et c'est bien regrettable, mais c'était un bourgeois et un officier ! Et ils ajoutent : pour le socialiste, il n'est qu'une tactique : boycottage-sabotage-grèves–grève générale. Et que Marianne en crève s'il se peut ! Péguy, patriote de quatre-vingt-treize et socialiste spiritualiste découvre, ce qu'ont découvert d'autres militants avant et après lui, que ce sont *les vôtres* toujours qui vous trahissent et il doit s'avouer qu'au moins sur le principe premier, – que la trahison militaire est un crime ! – il était depuis toujours, quoique sans doute convaincu que le capitaine juif n'avait pas trahi, *d'accord* avec les nationalistes contre la folie des siens.

Sur Jaurès qu'il déteste, il se trompe. Jaurès n'est ni duplice, ni à la solde de l'hervéisme, il s'en faut. Il fait la part du feu, il temporise, certes, et veut maintenir coûte que coûte la précaire unité de la SFIO. Tout ce qu'on désigne, chez les gauchistes, comme formant la « droite » de la SFIO – droite incluant Jules Guesde et les marxistes – a détesté dès le premier jour Gustave Hervé, ses provocations et son aventurisme, elle souhaite exclure les antipatriotes, les action-directistes, les anarcho-syndicalistes, tous ces gens qui refusent la « discipline » des congrès au même titre que la discipline militaire ! Jaurès quant à lui rejette l'antipatriotisme, il pense qu'Hervé ne comprend rien au sentiment national, qu'il manque de « psychologie » en ce domaine – et il s'est composé un antimilitarisme à part, fait d'autre chose que de haine de la caserne et d'appels à l'insoumission, à la désertion en masse : une contre-proposition « socialiste » constructive à l'organisation militaire actuelle – c'est-à-dire ce qui, pour les gauchistes, peut apparaître comme l'idée la plus perverse qui soit imaginable : un projet *socialiste* pour l'*armée* !

Non seulement Jaurès rejette-t-il cet antipatriotisme qui divise le parti et lui semble « psychologiquement » faux, mais, la France étant le seul pays d'Europe où cette idéologie soit en faveur et en progrès, il y voit un grand danger pour elle. Car bien entendu, il ne croit pas que la patrie ne soit qu'un mot ni la république, rien d'autre qu'une « république bourgeoise » à abattre. On l'a dit cent fois : Jaurès reste, non seulement au fond de lui mais explicitement, le descendant d'un Michelet et d'autres esprits jacobins et patriotes romantiques, « la France est une religion », disait Michelet[2]. Cette France de Jaurès est évidemment une France à la destinée socialiste : face à l'Humanité, qui attend d'elle son salut, c'est une France qui est « un des facteurs les plus important de l'évolution sociale de notre espèce[3] ». Jaurès est patriote et il le confesse hautement ; à l'instar de Péguy lui-même, il se présente comme internationaliste *donc* patriote, sans la moindre contradiction :

> On ne cesse pas d'être patriote en entrant dans la voie internationale qui s'impose au complet épanouissement de l'humanité, pas plus qu'on ne cessait à la fin du siècle dernier d'être Provençal, Bourguignon, Flamand ou Breton en devenant Français[4].

Tout au plus concède-t-il que la patrie n'est pas « un absolu », elle est un moyen transitoire de liberté et de justice qui se fondra un jour dans l'Humanité régénérée.

---

2. Titre, *Le Peuple*, chap. VI.

3. Jaurès, *Patriotisme et internationalisme*, Lille, Delory, 1895, p. 5. Et ailleurs il écrit dans une critique de l'hervéisme, jugé excessif et choquant : « l'idée de patrie serait perdue si le socialisme ne la sauvait en la transformant selon l'esprit des temps nouveaux ». *Cri du travailleur*, Tarn SFIO, 19.1.1908, p. 1. La France, ci-devant Fille aînée de la Révolution, rebaptisée « berceau du socialisme » est la « patrie de tous les socialistes internationaux », formulaient les guesdistes, *le Travailleur*, Lille, 23.5.1908, p. 1.

4. *Patriotisme et internationalisme*, Lille, Delory, 1895, p. 4.

Les socialistes hostiles à la doctrine antimilitariste n'objectaient jamais à Hervé par l'aveu d'un quelconque amour de l'armée et de la caste militaire. Mais ils décelaient dans cette doctrine un ensemble de vues chimériques et des effets pervers évidents. La désertion en masse lors d'une déclaration de guerre ? « Elle aboutirait à placer le pays le plus avancé, celui qui contiendrait le plus de socialistes sous la dépendance de la nation la plus rétrograde, la moins socialiste[5]. » Argument irréprochablement socialiste : il a beaucoup servi. (Il comportait bien entendu lui-même sa tache aveugle car le pays européen le plus « avancé » et de loin, du point de vue en tout cas du nombre des socialistes en règle de cotisation, était l'Allemagne – et pourtant en août 1914...)

Tout au plus, les adversaires, nombreux dans la SFIO, de l'antipatriote « braillard » Gustave Hervé, concédaient-ils, en une subjection aux bourgeois patriotiquement indignés, que c'était des excès et des tares du militarisme et surtout de la répression par l'armée des grèves et des mouvements sociaux qu'Hervé tirait sa crédibilité parmi les militants, qu'un certain antimilitarisme était donc légitime – ne fût-ce que pour empêcher de fournir des arguments à un Hervé !

> Les Hervés naîtront par génération spontanée tant que le patriotisme exigera qu'on mate l'ouvrier qui se délivre[6].

Pour le reste, de la majorité orthodoxe de la SFIO (majorité en tout cas dans les congrès), sortait une condamnation sans appel de l'antipatriotisme, « grave affection de croissance dont souffre en ce moment le Parti socialiste[7] ». Si le prolétaire n'a pas de patrie, c'est qu'on la lui a « volée », son droit est de la reconquérir, de reconquérir son patrimoine national ! L'internationalisme ? C'est par un « contresens grossier » qu'Hervé le confond avec un antipatriotisme[8].

---

5. J.-L. Breton, *Combat*, SFIO, 22.9.1907, p. 1.
6. Marcel Sembat, *L'Humanité*, 10.4.1907, p. 1.
7. *L'Émancipateur de Bourges*, 21.9.1907, p. 1.
8. *Ibid.* 11.5.1907, p. 1.

Jaurès pour sa part, plus lucidement que tout autre, voit, pendant plus de quinze ans avant 1914, monter régulièrement et s'accumuler les risques de conflagration générale et il met ses ultimes espoirs dans l'Internationale pour faire obstacle à la folie belliciste. La moitié de ses livres et de ses brochures à la tête de la SFIO portent sur les moyens socialistes de maintenir la paix. Toute sa rhétorique grondeuse qui soulève les foules, est au service de la paix malgré tout, « contre l'odieux entr'égorgement des travailleurs pour la gloire et le profit des puissances d'orgueil et de proie[9]... » On peut dire que ce qu'il attend essentiellement du socialisme, à court terme si on veut, avec le Grand soir comme passablement lointain horizon, c'est de garantir la paix européenne car il pense qu'une grande guerre mettra fin à tous les espoirs des progressistes.

Mais voilà, il ne croit pas à un miracle *in extremis* ni à la toute-puissance du parti ou des minorités agissantes pour imposer la paix. Il est rallié depuis 1901 au service de deux ans car il croit aussi que la guerre peut venir à tout moment et juge entièrement vaine la tactique antimilitariste pour l'empêcher. Au Congrès de Stuttgart en 1907, Jaurès prône l'action du prolétariat international contre la guerre, mais l'attitude de la social-démocratie allemande qui renâcle devant la motion par peur des « violences gouvernementales » lui donne à réfléchir.

C'est dans cet esprit et avec ces doutes qu'il a développé une doctrine qui paraît évidemment, pour les gauchistes du parti, le comble de la tartuferie, de l'inconséquence, de la compromission contre-révolutionnaire : – combat solidaire avec les autres partis de l'Internationale pour exiger la paix, – réforme démocratique de l'armée, et – organisation de la défense nationale, simultanément. « L'organisation de la défense nationale et l'organisation de la paix internationale sont solidaires », dit-il dans son *Armée nouvelle*[10]. Toute la gauche dont j'ai parlé ne pouvait que s'indigner.

---

9. *Humanité*, 24.8.1908, p. 1.
10. Jaurès, *L'armée nouvelle*, Paris, Rouff, 1911, p. 62.

Face au défaitisme révolutionnaire prôné par *La Guerre sociale* et *Action directe*, Jaurès s'obstine par ailleurs à faire une distinction que ses adversaires jugent hypocrite et avocassière : il distingue les guerres d'agression et les « guerres défensives » ; dans ce dernier cas, il faudra que les socialistes marchent avec toute la patrie menacée et dans son bon droit. Le prolétariat a toujours sauvé la patrie – même lorsqu'elle était désertée par les bourgeois ! Cette position, soutenue contre vents et marées et d'un congrès à l'autre, ne laisse – disons-le en passant puisque la question a été posée par les biographes comme si la réponse n'était pas évidente – aucun doute sur la position d'union sacrée qui eût été la sienne au 2 août 1914... « Je sais, écrit-il en 1907 prévoyant en quelque sorte le « *À Berlin* » populaire d'août 1914, que si la patrie était menacée dans son indépendance, c'est du prolétariat lui-même que jailliraient pour la défendre des forces incalculables[11]. » On était décidément loin de l'antipatrotisme de principe !

Mais Hervé, tout aussi évidemment, « avait raison » de rétorquer à cette position, juridique en quelque sorte et abstraite, que « dans la pratique, il est impossible de savoir quand une guerre éclate, qui est l'agresseur et qui est la victime ». De cette objection, il concluait qu'en cas de déclaration de guerre, il ne fallait pas « marcher » c'est-à-dire se rallier à la classe ennemie après s'être fait dire par ses journaux que l'ennemi héréditaire était l'agresseur : il fallait passer à l'action, quoi qu'il dût en coûter, « risquer notre peau pour essayer de faire la révolution sociale[12] ». Si notre pays est l'agresseur, nous ne marcherons pas, disait Jaurès. Mais August Bebel disait exactement pareil ! Restait à voir qui déciderait en toute impartialité que son pays était l'agresseur et rallierait l'unanimité de son parti autour de cette analyse ! La stratégie de Jaurès aboutissait, lui rétorquait-on avec quelques bonnes raisons, à une aporie philistine et à une démission. Pendant les dix années où le chef de la SFIO a prôné sa doctrine pacifiste, avec toutes ses contradictions, un tir de barrage des syndicalistes, des révolutionnaires et des anarchistes a visé le quartier général jaurésien. Jaurès a été l'homme le plus méprisé de toute cette extrême gauche.

---

11. Jaurès, *Germinal*, 18.5.1907.
12. Hervé, *Le Congrès de Stuttgart et l'antipatriotisme*, Paris, La Guerre sociale, [1907], p. 19 et 24. La même année, Fr. Stackelberg, avec *La mystification patriotique*, publie aussi sa brochure pour démontrer que la distinction de Jaurès est déraisonnable.

Le prolétariat est las d'être chair à machines, ce n'est pas pour devenir joyeusement chair à canon, tandis que toi [Jaurès] et tes copains vous continuerez à pérorer patriotiquement à raison de 41 francs par jour[13].

L'hostilité vous rend perspicace et le cégétiste Durupt n'avait pas tort de conclure, du point de vue qui était le sien : « Patriote, Jaurès l'est profondément, j'allais écrire : irréductiblement. Son patriotisme est intégral, il n'y a que son révolutionnarisme qui soit conditionnel[14]. »

Face à l'armée des militaristes, Jaurès avance un projet démocratique : la « Nation armée », l'armée modernisée, arrachée aux mains d'une caste, devenue républicaine et progressiste parce que subissant l'influence du peuple qui la compose. Chimère réformiste, une de plus, répondent en chœur les antimilitaristes ; comment démocratiser l'institution capitaliste et contre-révolutionnaire par excellence ?

Nous sommes ici au point où les positions des uns deviennent inintelligibles aux autres, relevant de deux visions du monde dont les présupposés et les cadres de pensée sont incompatibles sous l'apparence d'une même idéologie « socialiste ». Réorganiser l'armée, c'est ultimement accepter la guerre, non ? Les jaurésiens l'admettent au fond : la paix universelle est un « noble espoir », mais tant que la guerre, « pitoyable reste de barbarie », continuera à menacer le monde, le peuple armé devra pouvoir se donner les moyens de défendre la patrie socialiste ou la future patrie socialiste, expose Georges Renard dans son grand exposé de synthèse, *Paroles d'avenir*[15]. N'était-ce pas la thèse banale de l'armement et de la guerre comme maux nécessaires ?

---

13. *Germinal*, anarchiste, Amiens, 18.5.1907, p. 1.

14. *Cri populaire*, CGT, Nancy, 28.9.1907. De là, l'argument de *Qu'est-ce qui vous distingue de la classe ennemie ?* « Vous vous déclarez patriotes, les bourgeois aussi. Vous êtes prêts à vous faire tuer pour la France, les bourgeois vous approuvent ». *Germinal*, anarch., 21.9.1907, p. 1.

15. *Paroles d'avenir*, Paris, Bellais, 1904, p. 66-67.

VII

LA FIN DES GUERRES ET
LA FÉDÉRATION DES PEUPLES

ARGUMENTATION ET UTOPISME

Dans les Grands récits militants, tout raisonnement « critique » portant sur le présent et le passé débouche sur une conjecture, sur le tableau dans l'avenir d'une alternative et d'un pas-encore, sur la certitude ou la promesse d'un ordre des choses qui sera axiomatiquement différent et d'où le mal aura disparu. Le raisonnement finit ainsi par appuyer ses prétendues démonstrations empiriques sur des chimères ou des conjectures, – c'est du reste ce que répètent aux réformateurs depuis deux siècles les esprits positifs et sceptiques.

La critique sociale démontre par l'avenir conjecturé que le monde empirique n'est pas bon et qu'il est d'autant plus mauvais qu'il pourrait être tout autre et qu'il ne dépend que des hommes de l'organiser autrement. Toute critique du présent, dans la modernité (post-religieuse), se fait ainsi au nom d'un autre monde, d'un avenir prédit et assuré – et, de Saint-Simon aux « socialistes scientifiques », d'un avenir *scientifiquement* démontré fatal et inévitable, ce qui ne pouvait qu'encourager ceux qui assumaient le mandat reçu de cet avenir meilleur. Une des formes de la rationalité moderne, celle des grands maux et des grands remèdes aux maux sociaux, débouche et finalement se fonde ultimement sur de la fiction, sur de la conjecture, sur une *foi* en l'avenir ; elle oppose cette *foi* à l'autre rationalité, positiviste, qui oppose à son tour invinciblement ce qui est (qui relève de l'argumentable et de la preuve) à ce qui pourrait être (et qui échappe au « connaissable » et tombe rapidement dans l'absurde).

Cet avenir « fatal » qui sert de pierre de touche à la critique de ce qui *ne va pas* dans le présent n'est, pour le positiviste, qu'un *mundus inversus*, un monde à l'envers imaginaire, un pays de Cocagne planté au milieu d'une argumentation, la vaine *pars construens* d'une rhétorique critique qui ne persuade qu'en quittant la raison empirique et le connaissable – et qui transfigure ou projette, sans l'avouer, son *mécontentement* à l'égard du monde et sa mauvaise conscience en l'utopie d'un avenir radicalement autre. Qui fait d'un état d'esprit une réalité promise, fût-elle virtuelle ou inchoative. Toute critique puise sa dignité dans une indignation et rien n'est plus scandalisant que de faire voir les maux du présent du *point de vue* d'un avenir d'où ils auront été éradiqués.

Dans les marges du socialisme même, des penseurs du *double écart* critique, Saverio Merlino, Georges Sorel, Karl Mannheim, iront à leur tour déconstruire la *dénégation* scientiste qui accompagne ces programmes critico-révolutionnaires sans nier cependant, au contraire, le rôle immense des »mythes » et des « utopies » dans l'histoire[1].

Pacifistes bourgeois et antimilitaristes prolétariens, – si les raisonnements qu'ils avancent et les tactiques distinguent leurs deux idéologies, – puisent cependant leurs certitudes ultimes dans une utopie commune, celle de l'humanité future, fédérée et pacifique, utopie qui traverse toute la modernité.

LA FIN DES GUERRES

Il est un sophisme que rejettent d'abord tous les réformateurs sociaux depuis le début du XIXe siècle : c'est celui de la fatalité des guerres, existant depuis toujours *donc* inhérentes à la « nature

---

1. Ce sont peut-être finalement les socialistes romantiques qui ont été les plus sincères en reconnaissant et confessant hautement le caractère millénariste de leur vision de la fin des temps et d'une Jérusalem céleste un peu modernisée. Le fouriériste Désiré Laverdant constate ainsi dans sa *Déroute des césars* que « L'idée d'un Règne terrestre où la justice habitera, où l'homme se préparera, dans la dignité et dans la paix, à la gloire plus parfaite et aux félicités plus pures du Règne céleste, est une idée essentiellement judéo-chrétienne et catholique. »

humaine ». Dépendantes d'un ordre social vicieux, ordre séculaire mais appelé à disparaître, les guerres elles mêmes disparaîtront d'un monde nouveau, plus raisonnable et plus fraternel[2].

Dans le grand paradigme du progrès, un progrès solidaire qui comprend un « adoucissement des mœurs » constaté (et donc extrapolable), la guerre est concédée mais comme *survivance*, c'est-à-dire qu'elle est reconnue comme un fléau dans le présent et déniée à la fois, « La guerre ne vit plus que sur une tradition sociale fortement enracinée il est vrai. [...] On recourt de plus en plus à l'arbitrage international », croit constater un publiciste de 1889, opposant l'émergent qui a le sens de l'histoire pour lui au récessif qui est *ipso facto* condamné, – condamné moralement et condamné à disparaître. Le grand avantage de l'historicisme est qu'il permet de qualifier le mal de « survivance » – c'est-à-dire de le constater et de l'effacer en même temps, de l'éloigner de son regard puisqu'il est appelé à « disparaître ». C'est une façon de raisonner ici qui est vraiment le propre de l'« épistémè »-XIXe siècle, celle de la plupart de ses penseurs, grands ou obscurs[3]. Parallèlement au publiciste distingué de la *Nouvelle Revue*, le socialiste Fr. Stackelberg reconnaît la pérennité actuelle des États-nations, mais seulement comme « *survivances* des vieilles frontières nationales et étatistes » : il y avait dans le présent des choses qui appartenaient déjà au passé[4]. Puisque la marche du progrès jusqu'ici a effacé certains maux, le mal présent n'est déjà plus tout à fait réel, « l'esclave a eu son jour ; le serf a eu son jour ; le prolétaire aura le sien. Telle est la révélation de l'histoire, telle est la loi indiscutable du progrès[5]. » Pour les positivistes, il demeure dans la vie intellectuelle des théories métaphysiques, mais, condamnées par le progrès des sciences, elles n'ont déjà plus la même consistance ontologique que celles arrivées au stade positif, elles sont déjà des « *vestiges* ». Les tribus, les cités antiques, les principautés médiévales ont disparu,

---

2. Ce qu'expose par exemple le fouriériste Gabriel Gabet, *Traité élémentaire. La science de l'homme considéré sous tous ses rapports*, Paris, Baillière, 1842, III, p. 275.
3. F. Bernard, dans *Nouvelle Revue*, I, 1889, p. 131-133.
4. *La Mystification patriotique*, 1907, p. 12.
5. Édouard de Pompery, *Blanquisme et opportunisme. La question sociale*, Paris, Ghio, 1879, p. 13.

l'État-nation disparaîtra à son tour et naîtra la Fédération de l'Humanité[6].

Avec le ton d'assurance qui caractérise les écrits de cet esprit puissant mais étroit, Auguste Comte fut un des grands penseurs de la fin des guerres scientifiquement démontrée, fin qu'il déduisait de la disparition parmi les civilisés des raisons d'affrontements armés. « Tous les esprits vraiment philosophiques, enseigne-t-il dans son *Cours de philosophie positive*, doivent aisément reconnaître avec une parfaite satisfaction à la fois intellectuelle et morale, que l'époque est enfin venue où la guerre doit totalement disparaître chez l'élite de l'humanité. [Ceci résulte de] la situation fondamentale propre aux populations modernes, qui a successivement épuisé tous les divers motifs généraux de guerres importantes[7]. » Son disciple Émile Littré, convaincu par cette logique, déclarera vers 1850 que la paix perpétuelle était prévue par la sociologie d'ici à 25 ans. (S'ensuivent la Crimée, l'Italie, le Mexique, la Guerre franco-prussienne...).

Mais au-delà des prédictions de la secte positiviste, la thèse optimiste de la lente raréfaction des guerres et de leur ultime disparition du monde civilisé, de la régression générale des formes barbares de la « lutte pour l'existence », régression inséparable des progrès de la civilisation a été soutenue par de nombreux essayistes de la classe lettrée. On verra par exemple Gabriel Tarde, Léon Bourgeois...

Un autre argument concurrent, mais dont la coprésence eût pu sembler un peu inquiétante, était que les guerres deviendraient impossibles à brève échéance, mais parce que les progrès... de l'armement, cette fois, les rendraient trop atroces et destructrices

---

6. Après avoir démontré que les lois de l'histoire conduisent nécessairement au nouveau régime juste et pacifique, les prophète sociaux ont pourtant, à de certains moments, tous admis une alternative, une autre possibilité, une autre voie que pouvait prendre l'humanité, mais cette voie était celle du suicide ! Le socialisme logocratique doit venir régner sur le monde « sous peine de mort sociale dans le gouffre de l'anarchie », formule sombrement Colins. « Le communisme avec la Paix, la Fraternité et le bonheur de tous ; ou le despotisme avec la guerre, l'oppression et la misère : ce sont les deux uniques issues de la situation actuelle », telle est l'alternative pour Cabet, *Système de fraternité*, Paris, « Le Populaire », 1849, p. 3.

7. Comte, *Cours de philosophie posit.*, VI, p. 365.

pour que les puissances y aient recours. « La découverte de la direction des aérostats aura pour résultat un jour de rendre la guerre si
effroyable qu'elle deviendra impossible[8]... » Il y a au tournant du siècle
une véritable bibliothèque scientifique de démonstrations de cette
nature qui partent des progrès techniques du mal pour conclure
dialectiquement en faveur d'un effet pervers bénéfique[9].

LA SOCIÉTÉ AU LENDEMAIN
DE LA RÉVOLUTION : DÉSARMEMENT

Les ouvrages socialistes que j'ai examinés dans mon *Utopie
collectiviste* (Paris, PUF, 1993) forment des tableaux de la société qui
devait, selon une conjecture « scientifique », sortir de la révolution,
mais ce sont des tableaux du collectivisme « dans un seul pays ». Les
développements sur la révolution mondiale et la fédération des
peuples n'y tiennent pas grande place. On y trouve cependant l'écho
des programmes des partis qui prônaient la suppression des années
permanentes, la défense de la paix, la lutte contre le militarisme,
l'internationalisme prolétarien. Qu'ils prédisent explicitement ou non
l'extension de la révolution à toute l'Europe, et « plus tard » au monde
entier, les idéologues socialistes se hâtent de supprimer de l'État futur
les armées professionnelles et ils abolissent le service militaire, ren-
dant « au travail utile une foule de travailleurs qui en sont aujourd'hui
distraits à l'âge où on est le plus robuste et le plus ardent[10] ». Le
collectivisme ne connaîtra plus de service militaire, mais, étant
productiviste et peu soucieux de ménager de vains et amollissants
loisirs, il le remplace volontiers par un « service social » pour la jeunesse, chargée par exemple de l'exécution de travaux pénibles... (C'est
le retour de la thèse saint-simonienne et fouriériste dont j'ai parlé, de
la « transformation des armées » en armées industrielles et pacifiques.)

---

8. Malato, *Philosophie de l'anarchie*, 1889, p. 87.
9. Exemple : Jean de Bloch, *Impossibilités techniques et économiques d'une
guerre entre grandes puissances*, Paris, Dupont, 1899.
10. Renard, *Paroles d'avenir*, 1904.

L'armée professionnelle qui « a été de tous temps l'école de la dépravation et du meurtre, l'antithèse vivante de la République et de la démocratie » est en tout cas immédiatement éliminée de la société future[11]. On substitue à l'armée de métier, corps parasite dangereux pour la démocratie, « la nation armée[12] » –, ce qui avait été le projet jaurésien, – en attendant le désarmement progressif de l'État socialiste[13]. Aucun risque dans ce désarmement, assuraient les plus optimistes : « Quant le socialisme triomphera en France, il est archi-probable ou bien qu'il triomphera dans tous les grands pays du monde ou bien qu'il sera tellement près d'y triompher, que les gouvernements bourgeois » n'oseront pas bouger[14] !

Même un anarchiste comme Charles Malato exigeait « l'armement général du peuple » après le triomphe de la révolution libertaire et, au contraire d'autres anarchistes il est vrai, que sa thèse indignait, ne concevait pas cette armée anarchiste sans... un commandement autoritaire : « la nouvelle force ainsi créée pourrait-elle se passer de chefs ? Ce n'est guère admissible[15]. »

L'espérance des socialistes demeurait dans la fraternité des peuples, dans l'union des peuples contre la guerre, cette diversion créée par la bourgeoisie pour contrecarrer la marche du prolétariat vers son émancipation. Les peuples sont naturellement pacifiques, seules les classes exploiteuses ont intérêt à les faire s'entr'égorger ; ces classes abolies, le danger disparaissait. Le socialisme venu au pouvoir tendrait la main à tous les peuples et la guerre deviendrait impossible. « Lorsque les gouvernements auront tombé dans la colère des masses et que les frontières seront effacées, tout motif de guerre entre les humains aura disparu[16]. »

---

11. *L'inévitable révolution par Un Proscrit*, Stock, 1903, p. 17.

12. Kautsky, « Le lendemain de la Révolution sociale », *Mouvement social,* 1er fév. 1903-1er mars 1903, p. 207.

13. *Ibid.*, p. 208.

14. Hervé, *op. cit.*, 1909, II, p. 13.

15. Malato, *Philosophie de l'anarchie*, 1889, p. 83, écrivant ici contre *La Révolte*, 1889, p. 24.

16. *Le Drapeau noir* (Bruxelles), 8.8.1889, p. 3.

LA FUSION DES NATIONS DANS L'HUMANITÉ

Le même raisonnement par le sens de l'histoire que je viens de relever comme sous-jacent aux « preuves » de la disparition prochaine des guerres, se retrouve dans la thématique de la fusion future des nations en une Humanité fédérée. Aux yeux de la raison éternelle, les nations n'ont pas de *raison d'être*. Elles ne sont, enseignait Colins de Ham, chef de l'école des socialistes-rationnels, que « des opinions géographiquement exprimées », où la multiplicité même des droits démontrait que ceux-ci ne sont établis que sur la force et sur l'arbitraire[17].

À la diversité belliqueuse des nations, le XIXᵉ siècle oppose volontiers l'unité pacifique et coopérative de la Science, *préfigurant* l'unité de l'humanité. « Si l'idée de la patrie mène les hommes à la mort, écrit l'astronome Flammarion, comment l'amour de la Science et du Progrès n'enflammerait-il pas plus encore ceux qui comprennent que toute la grandeur de l'humanité réside dans sa valeur intellectuelle et morale[18]. » La communauté scientifique préfigurait elle-même l'humanité pacifique, « la solidarité des penseurs de tous pays, qui représente un progrès incontestable, deviendra dans l'avenir la première force sociale[19] ».

Dès lors, le récessif étant condamné moralement parce qu'historiquement, devant le Tribunal du monde, *Weltgericht*, et l'émergent indiquant la voie du bien et celle de l'avenir tout d'un tenant, seul l'avenir enfin étant *réel*, on pouvait conclure en un contraste, « la patrie, un mot, une erreur ! L'Humanité, un fait, une juste vérité[20]. »

Il fallait, pour ce faire, démontrer que l'idée de nation et le fait national reculaient *déjà*, qu'on constatait *déjà* la décadence de l'idée de patrie et des particularismes nationaux. Or, c'est ce que beaucoup d'esprits, nullement exaltés, croient déchiffrer tout au long du siècle dix-neuf, au zénith des États-nations : « Faut-il revenir à l'idée de patrie ? C'est impossible. Qu'on le veuille ou non, nous sommes en plein cosmopolitisme. C'est là un fait qui s'impose[21]. »

---

17. *Société nouvelle*, I, p. 324.
18. Flammarion, *L'Astronomie*, Paris, 1889, p. 3.
19. M. Lima, *Almanach de la question sociale 1897*, p. 91.
20. J. Nortag, *Rev. polit. et soc.*, 16.4.1871, cit. Dubois, *Le vocabulaire politique et social etc.*, p. 368.
21. *Philosophie de l'avenir*, 1889, p. 196.

Conversement, l'Humanité prouvait qu'elle était l'« avenir », elle se prouvait elle-même par le fait *qu'elle n'était pas encore*. L'Humanité, pour parler dans les termes d'Ernst Bloch, est un *noch-nicht*, un pas-encore qui pourtant *donne sens* au présent où il émerge à peine. Lisons dans cet esprit blochien, le fouriériste Tamisier qui conjecture sous Louis-Philippe : « Si nous jetons un regard sur la terre, nous verrons qu'il n'existe point encore à proprement parler d'humanité. Le globe est habité par des peuples entre lesquels ne se sont point établis ces rapports qui feraient participer chacun d'eux à la vie générale et constitueraient l'unité du genre humain. » Cependant, poursuit-il, parmi les lois « de la vie universelle », il en est une qui établit la « solidarité de toutes les races, de toutes les nations, de tous les hommes ». On peut affirmer alors que « les temps sont venus où le travail lent et pénible de la formation de l'unité humaine est assez avancé pour que les yeux de l'homme le moins clairvoyant puisse enfin l'apercevoir ». Le critique social est nécessairement un *visionnaire*[22].

Un axe du progrès, aux variantes innombrables, occupe les esprits et sert à persuader : quelque chose comme un vecteur historique d'inclusions, La famille > la horde > la nation > l'Humanité. Paradigme où les trois étapes franchies *prouvent* l'étape à venir laquelle, rétroactivement, donne son sens ultime au cheminement immémorial de l'homme. Sur cet axe, les États-nations ne sont ni un bien ni un mal : ils sont une *étape*. Étape qui fut nécessaire, qui peut l'être encore, mais qui sera bientôt dépassée. Idée que les hommes dépasseront en conservant le principe de « solidarité » qu'elle comportait. De même que le mode de production capitaliste avec toutes ses horreurs formait une étape, à la fois inévitable et cependant condamnée à terme par l'histoire, de même les patries sont vues *sub specie œternitatis* (et donc peuvent déjà être jugées) comme « des formes inférieures de l'association humaine[23] », – de la même façon que, nous, civilisés,

---

22. A. Tamisier, *Coup d'œil sur la théorie des fonctions*, Paris, Librairie sociétaire, 1846, p. 15 à 20.

23. Hervé, *L'internationalisme*, Paris, Giard & Brière, 1910, p. 1.

considérons la horde et la tribu. Les nations se « fondront » un jour dans l'humanité en une seule « société fraternelle », en une « grande famille » dit-on vers 1848. On rencontre encore les formules récurrentes : « supprimer les frontières », « établir la fédération des peuples »...

En même temps que les patries se fondront dans l'humanité fédérée, les religions, autres survivances, sont appelées à disparaître. Elles disparaîtront même les premières car leur décrépitude est plus avancée. Les bourgeois « progressistes » l'avaient aussi prédit tout au long du XIXe siècle. La science, aidée des hommes de progrès, a déjà porté à l'Église des coups dont « elle ne se relèvera pas ». « Encore vingt ans et la destruction sera complète [24] », la science matérialiste aura vaincu la foi. « La pensée a tué la foi, toutes les religions sont irrévocablement condamnées [25]. » La « décrépitude morale » du christianisme au XIXe siècle, dont on relève bien des indices, prouve sa décadence et présage de son entrée imminente en agonie [26]. Auguste Dide, philosophe positiviste, au début du XXe siècle, a cru pouvoir prévoir *la Fin des religions*. Son livre a eu du succès. Il décrit les reculs du christianisme tout au long du XIXe siècle, en dresse le bilan globalement négatif et en pronostique la disparition prochaine – non sans jubilation. « Le christianisme devient semblable à un vieil oiseau qu'on aurait placé sous le récipient d'une machine pneumatique. À chaque mouvement de rotation, l'air respirable diminue et l'oiseau bat de l'aile en signe de détresse et de mort. L'agonie sera longue ; mais le dénouement est inévitable. [...] La force des choses, la logique immanente, la science feront leur œuvre [27]. » Le travail de sape de la science, motrice

---

24. Roret, *Les mensonges des prêtres*, Paris, 1889, p. 151.

25. Charles Malato, *Philosophie de l'anarchie* (éd. Stock, 1897), p. 40.

26. La coupure entre les romantiques et les générations d'après la Commune est radicale : les premiers avaient aussi constaté que la religion du passé était condamnée, mais ils n'étaient pas moins unanimement convaincus que sans une « communauté d'opinion capable de prescrire avec efficacité à tous les membres de la société leurs devoirs réciproques », aucune société juste ne pourrait se maintenir. La « nécessité sociale de la croyance en Dieu » leur avait inspiré l'invention de religions rationnelles susceptibles de refonder le lien social.

27. *Op. cit.*, Flammarion, 1902, p. 443. D'autres en grand nombre, ont fait cette facile prophétie dont on pourrait dresser une anthologie chronologique : « Je crois que le XXe siècle sera un siècle d'athéisme », etc., Victor Joze, *Petites démascarades*, Paris, Kolb, 1889, p. 83. C'est le ton des livres savants ou lettrés ; dans les journaux populaires, c'est plus brutal : « Dieu a fait son temps », s'y réjouit-on, et les religions ne seront bientôt plus que des « curiosités historiques », Varlin dans *La Marseillaise*, 19.1.1870.

du progrès, avait déjà été salué par les réformateurs romantiques, « la science relègue au nombre des fictions chimériques et dangereuses toute croyance à une vie, à un être surnaturels[28] ».

La propagande socialiste s'accordait à la prédiction « bourgeoise » sur l'extinction inévitable des religions avec une variante importante – la Révolution, ajoutait-elle, parachèverait seule ce que la science avait commencé. « Le socialisme [...] portera le dernier coup aux religions parce qu'il offre à l'esprit des hommes non pas la chimérique espérance d'un paradis dans les nuages, mais un idéal radieux et proche de justice et de fraternité[29]. » Le christianisme avait promis l'égalité dans l'autre monde, le socialisme la procurerait aux humains dans celui-ci. Dans la société collectiviste future, les vestiges religieux, prédit-on, seront « remplacés » par « la philosophie édifiée sur les bases du rationalisme scientifique[30] ». Dans tous les cas, libérée de l'« hypothèse Dieu », une morale « supérieure » se développera, en accord avec les enseignements de la science et avec l'esprit d'altruisme qui animera la société[31].

Une fois que les humains ne seront plus régis que par « la souveraineté de la raison », toutes les nations se fondront en une Société unique, prédisaient les colinsiens[32]. Sous le règne de la religion ration-

---

28. Théodore Dézamy, *Code de la communauté*, Paris, Prévost-Rouannet, 1842, p. 261.

29. *L'Ami du peuple* (SFIO), 10.2.1907, p. 1.

30. Charles Malato, *Philosophie de l'anarchie*, p. 24.

31. Les blanquistes, possédés par la haine des cléricaux et des charlatans ensoutanés, étaient pour la manière forte : il fallait supprimer les cultes, expulser les prêtres, arrêter les derniers fidèles, détruire, raser les églises. Pour les autres socialistes, il faudrait au contraire s'armer de patience seulement : la religion décrépite et rendue inutile ne sera pas autoritairement supprimée, elle « disparaîtra d'elle-même » après la Révolution, le reflet religieux « s'évanouira »... Le bien-être général rendra inutile tout appel à un chimérique espoir céleste comme il fera disparaître l'alcoolisme et pour les mêmes raisons.

32. Voir par exemple Agathon de Potter, *Économie sociale*, I §, p. 8.

nelle, il n'y aura bientôt plus qu'un seul État planétaire avec un seul droit et un seul code puisque la raison est une, et l'humanité, virtuellement du moins, rationnelle. Dans les années 1850, l'école du socialisme-rationnel de Colins a été un des vecteurs de l'utopie de la fin des nations, aboutissement planétaire de l'égalité sociale. « Pour qu'il n'y ait plus de pauvre chez les nations, raisonnait Louis de Potter, il faut qu'il n'y ait plus de nations dans l'humanité[33]. » Le vieux Colins l'avait réclamé et prédit : à partir du moment où toutes les civilisations sont en contact, l'ordre ne peut s'établir qu'au sein de l'humanité globale[34].

> Une fois le droit réel démontré, il est évident qu'il est le même pour l'humanité tout entière. Et partout où il y a unité de droit, il y a unité de nationalité. [...] Et tant qu'il y a des peuples, c'est qu'il n'y a encore pour eux, ni droits ni devoirs réels autres que la force et la faiblesse[35].

Dans ce *looking backward* de l'humanité unifiée future sur le présent, les nations actuelles sont, par leur existence même et leur multiplicité, à la fois l'anarchie et l'injustice. Le sentiment patriotique n'est pas le propre des hommes de cœur, il est une maladie de l'âme encore fermée à la rationalité. Dès lors, « pour que la liberté sociale existe, il est nécessaire, indispensable d'anéantir les nationalités[36] ». « L'instauration du collectivisme n'est possible qu'avec la disparition même des nations, l'abolition des frontières, la proclamation de la République universelle[37]. »

Dans les mêmes années, le *Manifeste communiste*, fort loin sans doute épistémiquement du spiritualisme du vieux Colins et de ses disciples, ne prédit pas moins la disparition des nations après la révolution, « en même temps que l'opposition des classes au sein des nations, disparaît l'antagonisme des nations[38]... » « Demain la patrie sera l'humanité entière[39] » : dans l'imprimé socialiste, là où s'énonce

---

33. *Dictionnaire rationnel : les mots les plus usités en sciences, en philosophie [...]*, Bruxelles, Schnée, 1859.
34. *Science sociale*, II, p. 322.
35. Colins, cit. *Revue du socialisme rationnel*, févr. 1911, p. 404.
36. *Revue du socialisme rationnel*, 1912, p. 607.
37. *Revue du socialisme rationnel*, janv. 1912, p. 309.
38. Éd. Pléiade 1963, p. 180.
39. A. Hamon, *Almanach de la question sociale 1896*, p. 59.

l'imminence de la révolution, s'énonce aussi l'imminence de la république sociale universelle :

> Le jour n'est pas éloigné où les races fraterniseront, s'amalgameront pour ainsi dire, afin de former une grande famille universelle. Ce jour-là, elles auront vite résolu la question sociale[40] !

« Les vieilles frontières s'effaceront sous les pieds du prolétariat affranchi[41]. » Leur abolition faisait partie du mandat échu au prolétariat, mandat qui s'identifie à la logique, à l'ordre des choses puisque les « patries n'ont plus de raison d'être[42] ». Le communard Henri Brissac s'exclame : « Anéantissons les frontières et remplaçons-les par l'unité de patrie républicaine qui, tarissant à leur source les guerres internationales, rendra au travail les soldats des armées destructrices[43]. » Le révolutionnaire mettait, hélas, tous ses espoirs dans le siècle que nous venons de voir s'achever : « Le XIXe siècle a été le siècle des nationalités. Le XXe siècle sera le siècle de l'internationalisme[44]... »

LA RÉVOLUTION DANS TOUS LES PAYS

Dès le *Catéchisme du communisme* d'Engels, thèse qui sera endossée par tout l'imprimé socialiste, la révolution annoncée est prédite comme se produisant nécessairement en même temps « dans tous les pays civilisés » – ce qui en 1847 se glose dans le texte même : « [...] (France, Angleterre, Allemagne, États-Unis) ». Pour Karl Marx, par le seul fait d'avoir mondialisé la production, la grande industrie a rapproché les peuples et crée les conditions d'une révolution « mondiale ». Le grand leader allemand August Bebel avait posé la thèse, complémentaire si l'on veut, selon laquelle le socialisme « ne pouvait être réalisé » dans un pays isolé, que le socialisme dans un seul pays était une recette d'échec, que la révolution devrait s'étendre pour se maintenir et se stabiliser[45]. D'ailleurs, au moment de la révolution,

40. *Après le 1er mai*, n° 2, 1890, p. 3.
41. Bruckère, *Guerre sociale*, 5.6.1907, p. 2.
42. F. Stackelberg, *Mystification patriotique*, 1907, p. 12.
43. Henri Brissac, *Résumé populaire du socialisme*, Paris, Librairie du progrès, p. 9.
44. Hervé, *Internationalisme, op. cit.*, p. 173.
45. Bebel, *Die Frau*, 1879.

ajoutait-il, l'esprit internationaliste aura pénétré si largement les exploités du monde entier que le déclenchement simultané de la révolution serait facile. Tout révolutionnaire, tendant la main d'avance aux exploités de tous les autres pays, voyait la révolution comme globale, d'emblée ou par enchaînement et entraînement fatal :

> Nous voulons aimer les habitants de contrées voisines et non les haïr ! Nous voulons la République Universelle, la Révolution sociale qui doit nous affranchir tous[46].

Il paraissait impossible que la révolution ne connaisse le succès foudroyant qui devait être le sien en un seul pays sans que son bon exemple ne s'étende vite : « Je crois que l'exemple s'étendra rapidement et qu'une telle transformation aura sur l'univers un tel rayonnement que dans un délai relativement court, la transformation sera universelle », proclame un militant au cours d'un congrès : il dit ce que tous pensent[47]. Cette certitude de l'extension mondiale de la révolution était partagée par les anarchistes : la destruction des parasites et des exploiteurs sera « internationale », affirmait Jean Grave[48].

Gustave Hervé dans une série de brochures décrivant la voie révolutionnaire, voyait précisément comment se déroulerait la révolution syndicaliste, « le jour où le régime socialiste triomphera dans un autre pays, notre Confédération générale du travail s'étendra à ce pays ou s'unira avec la Confédération générale de ce pays. Ainsi notre Confédération, d'abord nationale, deviendra européenne et plus tard mondiale[49]. » Le passage, typiquement utopique, qui précéde est frappant : Hervé peut passer pour un militant exalté, mais il semble doté d'un certain sens du réel, et pourtant, on ne peut que relever la soudaine et sidérante naïveté du propos, son caractère *enfantin*. Or, c'est cette croyance rêveuse en l'imminence d'un État-CGT planétaire, qui *fonde* les raisonnements politiques, censés rassis et informés, et les tactiques de lutte sociale du directeur de *La Guerre sociale*, doctrinaire respecté du syndicalisme révolutionnaire.

---

46. *La question sociale*, 3 : 1885, p. 79.

47. « La société future : rapport par le camarade Bourchet », *XII⁰ congrès national corporatif [...] Montpellier 1902*, p. 230.

48. *La société au lendemain de la révolution*, Paris, 1893, p. 58.

49. Hervé, *Le remède socialiste*, Paris, Guerre sociale, 1908, p. 13.

ÉTATS-UNIS D'EUROPE ET
RÉPUBLIQUE OCCIDENTALE

La constitution d'une Humanité fédérée passait souvent par une étape dont les socialistes héritaient des réformateurs « utopiques », Saint-Simon dès 1814 avait prédit la fusion des États européens (*De la réorganisation de la société européenne*). Beaucoup de romantiques – au premier rang desquels Hugo – avaient appelé de leurs vœux les États-Unis d'Europe. « La paix, c'est le verbe de l'avenir, c'est l'annonce des État-Unis d'Europe, c'est le nom de baptème du XXe siècle[50]. » À la fin de l'Empire se crée à Genève avec Fernand Buisson une « Ligue internationale de la paix et de la liberté » dont le journal, qui sera l'organe des fédéralistes européens, s'intitule *Les États-Unis d'Europe*. Quant aux positivistes, ils abolissaient aussi les États-nations, mais fédéraient plutôt les pays « civilisés » en une « République occidentale ».

Le socialisme organisé hérite de ce rêve fédérateur et l'endosse en le transposant. Tout d'abord, proclame E. Tarbouriech, « les peuples réaliseront le rêve des États-Unis d'Europe, j'en ai le ferme espoir[51] ». Tandis qu'Henri Brissac entrevoit en trois étapes (on ne sort pas tout de suite du monde blanc industrialisé) « la République européo-américaine comme prélude à l'unité du globe » ; ceci, « après avoir traversé peut-être une dernière étape, celle des États-Unis d'Europe[52] ». « Cette république propagera ses principes, ses sciences et ses institutions parmi les nations encore barbares et les élèvera peu à peu à son niveau. »

---

50. Texte du 25 mars 1877 dans *Depuis l'exil*.

51. Tarbouriech, *La cité future : essai d'une utopie scientifique*, Paris, Stock, p. 62.

52. Brissac, *Résumé populaire du socialisme*, Paris, Librairie du progrès, 1889, p. 14. Remanié dans *Almanach de la question sociale 1894*. Lu encore dans un rapport d'indicateur de police, Arch. Préf. Police, M6-2133, 24.2.1889 : « Qu'est-ce que la patrie ? Est-ce un groupement d'individus portant un nom quelconque, Français ou Italien, ou bien est-ce toute l'Europe ? Pour nous c'est à cette dernière patrie que nous appartenons. Ce que nous voulons, c'est qu'il n'y ait plus de frontières. »

LA FÉDÉRATION DES PEUPLES

Une fois encore – ce ne saurait être un hasard – on doit remonter à la pensée ou au « rêve » de Saint-Simon sur la formation d'un super-gouvernement mondial, composé de savants :

> La réunion des vingt-un élus de l'humanité prendra le nom de Conseil de Newton ; le Conseil de Newton me réprésentera [édicte Dieu] sur la terre[53].

Cette idée de gouvernement scientifique global, une fois énoncée, revient dans toutes les marges humanitaires et militantes du discours social du XIXe siècle. Sur ce globe, Fourier de son côté, « a supposé un gouvernement unitaire et central administrant les affaires générales de l'humanité, régularisant les grandes opérations exercées par les nations des différents continents. Le congrès général ou humanitaire dirigerait par exemple les armées industrielles dont les immenses travaux devront opérer sur la surface terrestre les modifications les plus profondes et les plus sanitaires, telles que les reboisements des chaînes de montagne effritées, la conquête agricole des grands déserts, l'établissement de communications de premier ordre entre la capitale du Globe [qui sera Constantinople] et les capitales continentales[54]. »

On a vu l'école du socialisme rationnel à son tour prédire un peu plus tard « la société nouvelle, société embrassant l'humanité tout entière[55] ». « La seule chose à faire, exposent les logocrates, c'est de fusionner tous les peuples en un seul, c'est de remplacer les nationalités par l'unification sociale du genre humain tout entier[56]. » La philanthropie démoc-soc de 1848 expose parfois en vers cette espérance unificatrice :

> À ta voix [celle de la fraternité] désormais, tous les peuples soumis
> Ne feront plus un jour qu'un seul peuple d'amis[57].

---

53. Rêve de Saint-Simon, Œuvres, 1841, p. 51.

54. Ferdinand Guillon, Accord des principes. Travail des écoles sociétaires. Charles Fourier, Paris, Librairie phalanstérienne, 1850, p. 94.

55. Colins, Science sociale, I, p. viii.

56. Adolphe Hugentobler, Extinction du paupérisme, Paris, Gougy, 1871, [rééd. de l'éd. de Neuchâtel, 1867], p. 218.

57. Boissy, Poésies, 1848, p. 19. Ou le fouriériste Allyre, Conscription, p. 3 : « J'appelle de mes vœux ardents l'époque où toutes les nations seront réunies dans un immense concert... »

L'idée ne se perd pas. Les revues pacifistes de la fin du siècle emboîtent naturellement le pas et entrevoient toutes dans un lointain lumineux « la libre fédération des nationalités, seul moyen d'organisation définitive de l'Unité humaine[58] ». Il n'est pas un propagandiste du socialisme à son tour qui n'ait prophétisé la proclamation, d'un seul coup ou après les étapes européennes ou « occidentales » dont je viens de faire état, de la République sociale universelle – qui n'ait attendu avec espoir le jour où l'humanité ne formerait plus ainsi qu'une « grande famille ». On verra naître alors la « Fédération des peuples », « Fédération du globe », République universelle », « République sociale universelle » – tels sont les divers noms que je relève. Beaucoup lisaient dans les paroles mêmes de « L'Internationale » de Pottier, connues par cœur, l'annonce de « la République universelle comprenant toutes les nations et la population du globe, embrassant tout le genre humain[59] ». Ici aussi des poètes de bonne volonté versifient l'avenir dans les brochures de parti à la « Belle Époque » :

> Dans un avenir peu lointain,
> Brillante comme un beau matin,
> Je vois paraître celle
> Que l'humanité chaque jour
> Appelle avec des cris d'amour :
> La République universelle[60].

Cette espérance-là est de celles qui rallient lettrés et ignorants. Anatole France, « sceptique souriant » comme le veut le cliché, mais compagnon de route de la SFIO, n'écrit-il pas dans *L'Humanité*, « je crois à l'union future des peuples [...] L'avenir prend soin de réaliser les rêves des philosophes[61]. » Eugène Fournière, figure de premier

---

58. Société de la paix perpétuelle par la Justice internationale, *L'Unité humaine*, 20.4.1890.

59. A. Chardon, *L'Égalité*, 4.5.1889, p. 2.

60. J. Gueux, célèbre chansonnier en son temps, dans *Almanach de la question sociale 1896*, p. 37.

61. *Humanité*, 8.2.1908, p. 1.

plan de la SFIO, dans un ouvrage bien théorique mais dans un moment d'exaltation, parlait finalement de conquête socialiste de la Galaxie, « nous quitterons cet univers vieilli [...] pour aller, colons exilés et joyeux, peupler les espaces sidéraux et fonder de nouvelles et rayonnantes humanités[62]. »

Sans doute l'idée de « Patrie socialiste » n'est pas absente du socialisme d'avant-guerre, elle est même, je l'ai dit, très présente chez Jaurès et les jaurésiens : c'est la nation, assurent-ils, qui, longtemps encore fournira le cadre historique du socialisme, le moule d'unité où sera coulée la justice nouvelle. Toutefois, Jaurès le répétait aussi, la patrie n'est pas « un absolu », elle n'est qu'un moyen transitoire de liberté et de justice. C'est un fait, une situation que l'humanité dépasserait en son temps. Le collectivisme irait donc, tôt ou tard, vers une Fédération universelle.

LA PAIX PERPÉTUELLE

L'humanité qui n'est encore qu'un concept, qu'une espérance deviendra une réalité alors que disparaîtront les différences entre les peuples et les cultures. Les « races » mêmes se fondront dans une humanité pacifiée. « Les civilisations sont des essais, des tâtonnements, des ébauches de la grande société qui doit relier dans une organisation commune, les peuples et les races[63]. » Un rêve *familial* efface les nations et les civilisations en conflit dans une ultime fraternité planétaire. Malgré les armées permanentes, les flottes cuirassées, les conflits européens, l'expansion coloniale, l'utopie pacifiste attend du XXe siècle l'instauration de la paix définitive. « En l'an 2000, il n'y aura plus ni guerres, ni frontières arrosées de sang humain[64]. » Fédération des peuples, paix définitive, les deux allaient ensemble. « Un monde où la fraternité, rapproch[era] les peuples après avoir rapproché les individus, amènerait à regarder la guerre comme une folie atroce et aboutirait à la suppression des armées[65]. » Ici encore,

---

62. Eugène Fournière, *L'idéalisme social*, Paris, Alcan, 1898, explicit.

63. Eugène Nus, *Les grands mystères : vie universelle, vie individuelle, vie sociale*, Paris, Noirot, 1866, p. 346.

64. Berthelot, *Almanach de la Révolution 1902*, p. 60.

65. Louis Blanc, *Le catéchisme des socialistes*, Paris, « Nouveau monde », 1849, p. 29.

faut-il le répéter, le socialisme des grands partis du tournant du siècle héritait en continuité directe et *verbatim* des rêves des premiers utopistes. « Dans cette Fédération du globe, plus d'armée permanente, les forteresses, les champs de manœuvre, les casernes, huit millions d'hommes et 10 milliards de francs employés chaque année à joncher la terre des cadavres de tant d'infortunés, offerts par le génie de la paix à l'agriculture, au commerce, à l'industrie », écrit un colinsien[66].

Dans la Fédération du Globe donc, un gouvernement purement scientifique régira une planète pacifiée. On peut d'ailleurs allonger la liste des maux qui seront biffés d'un trait de plume dans la République planétaire. Plus de crimes, plus de prisons, plus de bourreaux – mais encore et toujours des asiles d'aliénés : « Quand l'humanité se trouve émancipée, il n'y a plus de criminels ; il n'y a que des malades[67]. » Sans doute la loi de l'expiation pèse-t-elle encore dans cet avenir, quoique moins lourdement qu'aujourd'hui, mais le mal n'est plus imputable à une organisation sociale vicieuse et seul un fou pourra encore s'y révolter ou créer du désordre[68]. Pour la disparition prochaine du mal, celle de tous les maux dûs aux hommes, Colins raisonne comme faisait Charles Fourier : l'homme futur conservera la *puissance* de faire le mal, mais dans une société bonne c'est-à-dire bien faite, il n'en aura ni l'intérêt ni la volonté – si du moins il n'est pas pathologique et bon à rééduquer. Le mal disparu, l'histoire cesse de se dérouler, l'ordre devient immuable comme la vérité. Arrêt sur image, dénouement des Grands récits, « l'ordre social est devenu imperturbable et il dure jusqu'à la mort de l'humanité sur le globe[69] ». L'humanité heureuse n'a plus d'histoire. On a vu plus haut que Comte démontrait à brève échéance « l'avènement final d'une ère pleinement pacifique[70] ».

---

66. Victor Girard, *De la pluralité des mondes habités et des existences de l'âme*, Paris, Librairie internationale, 1876, p. 24.

67. Colins, *De la Souveraineté*, I, p. 94.

68. A. de Potter, *De la propriété intellectuelle et de la distinction entre les choses vénales et non-vénales. Majorats littéraires de Proudhon*, Bruxelles, L'Auteur, 1863, p. 65.

69. De Potter, *Revue du socialisme rationnel*, 1903, p. 514.

70. *Cours de philosophie positive*, VI, p. 366.

Les plans collectivistes, la grande société démocratique et productiviste que l'on rêve supposent la paix internationale. Selon leurs architectes, ils ne spéculent en rien sur l'avenir mais s'appuient sur la nature des choses, « la paix universelle, la fédération des peuples sont inhérents à [l'] essence même » du socialisme, expose-t-on par une bien naïve pétition de principe[71]. « Le socialisme sera en état de donner à l'humanité la paix absolue et définitive[72]. » Les affrontements économiques sont seuls causes des guerres ; le socialisme les supprime, la paix régnera donc : le syllogisme est imparable.

UNE RACE NOUVELLE

Le propre de la logique utopique, c'est que rien ne l'arrête dans la volonté de délivrer l'humanité du mal. L'homme sera-t-il un jour exempt de maladies ? Au moins peut-on affirmer qu'elles seront « beaucoup moins nombreuses et beaucoup moins fréquentes[73] ». Une race nouvelle, plus saine, plus forte, apparaîtra. « On verra disparaître comme par enchantement tous les fléaux modernes, l'alcoolisme, la tuberculose, etc. L'humanité régénérée croîtra en nombre et en vigueur[74]... » La durée de vie « sera beaucoup plus longue que dans la société actuelle[75] ». Des projets eugénistes s'expriment sans complexe au tournant du siècle dans les brochures socialistes, l'État procédera à la stérilisation des tarés, des hérédo-alcooliques, des hérédo-syphilitiques pour ne laisser se reproduire qu'une humanité saine[76]. La natalité augmentera démesurément dans un monde d'abondance. « Cent million d'hommes peuvent naître et coexister sur la vieille terre française[77]. »

---

71. Deslinières, *L'application du système collectiviste*, préf. de J. Jaurès. Paris, Revue socialiste, 1899, p. 377.

72. Deslinières, *Comment se réalisera le socialisme*, Paris, Librairie du parti socialiste, 1919, p. 45. « C'est au collectivisme que les peuples devront le bienfait de la paix perpétuelle » (p. 383).

73. *L'Humanitaire*, 7 : 1841, p. 10.

74. Deslinières, *Qu'est-ce que le socialisme ?* p. 22.

75. *L'Humanitaire*, 8 : 1841, p. 9.

76. P. Robin, *L'Éducation intégrale*, 16.4.1895.

77. Lucien Deslinières, *L'application du système collectiviste*, Paris, Revue socialiste, 1899, p. 85.

« À temps nouveaux, il faut des hommes nouveaux[78]. » L'utopie révèle son ultime projet : changer les hommes, recréer l'humanité. Les romantiques les premiers ont rêvé une humanité future non seulement heureuse et pacifique, mais régénérée au physique et au moral. L'imagination de Fourier a été jusqu'à prédire des mutations génétiques au stade harmonien. Il suffisait de puiser dans ses écrits pour y trouver l'*archibras*, l'*homme actif en amour à 120 ans, la taille moyenne à 7 pieds, 2 mètres 27*[79]. L'*archibras* a surtout fait rire les petites gazettes et les caricaturistes du temps de Louis-Philippe, « il finira par nous pousser au bas de l'échine une queue avec un œil au bout. Si tout cela n'était pas imprimé et dans de gros volumes... », s'esclaffent les esprits rassis[80].

Un demi-siècle plus tard, le socialisme a refoulé les poétiques visions fouriéristes et l'eschatologie de premiers temps, mais cependant, l'homme mutant est toujours à l'ordre du jour. Le socialisme scientifique se contente de rationaliser les rêves de régénération physique et morale. Il ne s'agit plus de prédire une révolution morale et une régénération physiologique de l'humanité émancipée, mais de montrer comme probable cette mutation anthropologique, étant donnée la transformation du milieu social, des conditions de travail et des rapports économiques. Une fois encore, c'est le raisonnement qui conduit à une vision : des hommes délivrés de l'ignorance comme préservés de la misère, garantis contre le malheur et ne connaissant que la paix seront différents des hommes actuels. Ceci n'est pas une prophétie mais une *déduction*. Des conditions meilleures et des lois justes, l'absence de conflits engendreront forcément une amélioration morale de l'humanité. La disparition de la propriété privée anéantit la cupidité et l'envie comme la suppression des taudis élimine les scrofules et la tuberculose. Ajoutez les progrès immenses de l'éduca-

---

78. Dr. J. Pioger, *La vie sociale, la morale et le progrès. Essai de conception expérimentale*, Paris, Alcan, 1894, p. 9.

79. *Le Système de Fourier étudié dans ses propres écrits*, 1842.

80. Bonjean, *Socialisme et sens commun*, p. 30. Flaubert dans *L'Éducation sentimentale*, III, ch. iv, se souvient des plaisanteries sur la queue phalanstérienne.

tion publique, la diffusion des sciences et des lettres, la multiplica-tion des loisirs instructifs. Que des mentalités nouvelles et des mœurs épurées doivent sortir de tels bouleversements ne fait de doute pour personne. Ces propositions sont, dans la Deuxième Internationale, démontrées par la logique du socialisme scientifique : l'infrastructure modifie la superstructure. Le socialisme « change le milieu pour chan-ger l'homme ». Ce qui veut dire que l'homme n'est ni meilleur ni pire ; il devient ce que le milieu lui permet d'être et un milieu égalitaire l'épanouit. Il importe aussi de persuader que la civilisation nouvelle s'épanouira facilement, sans moyens coercitifs ni tyranniques. *Quid leges sine moribus ?* disait Horace. Les changements des mœurs seuls donneront au collectivisme la durée et l'harmonie qui ne sont pas dans les lois et les décrets. Changement à vue : c'est aussitôt après la révo-lution que les esprits changeront. Le « dédain de l'esprit de lucre se manifest[era] dès les premiers instants[81] ».

L'homme nouveau sera l'homme authentique, l'homme complet ; c'est l'homme moderne qui est « un être atrophié », un produit de la corruption des mœurs capitalistes. Ce retournement de perspective permettait d'écarter l'accusation d'être chimérique. Il ne s'agit pas de refaire l'homme, il s'agit de le rendre à sa nature véritable. C'est l'homme moderne qui est éduqué pour le mal, pour la guerre, disent les pacifistes, « le bambin sait à peine marcher qu'on lui donne pour ses étrennes des soldats de plomb, des canons, des forts en carton, un tambour, un clairon, un fusil[82]... » C'est l'homme d'aujourd'hui, disent les anarchistes, qui est déformé par la société autoritaire ; il suffira de « former un milieu favorable à l'affirmation intégrale de la personna-lité humaine » pour le rendre à sa fraternelle nature[83].

NOTE : UTOPIE DE LA RÉPUBLIQUE UNIVERSELLE ET ESPÉRANTISME

Je n'étudie pas ici spécifiquement les activismes de langues auxi-liaires universelles, le mouvement espérantiste notamment avec son grand succès dans les milieux ouvriers au début du XXe siècle. Mais il

---

81. Émile Pataud et Émile Pouget, *Comment nous ferons la révolution*, Paris, Tallandier, 1909, p. 153.
82. Gustave Hervé, *Leur patrie*, Paris, Bibliothèque sociale, 1905, p. 40.
83. *Le libertaire*, 22.11.1895, p. 1.

forme une des pièces de l'utopie mondaliste. La future Fédération des peuples parlera une langue unique. Laquelle choisir ?

La Fédération des races humaines fera disparaître la diversité des langues, mais on ne peut affirmer que la langue française dominera plutôt que la langue anglaise ou allemande[84].

L'invention du volapük (J.-M. Schleyer, pasteur de Zürich, 1879)[85], puis du bopal (M. St-Max, 1887) et de l'esperanto (L. L. Zamenhof, médecin de Varsovie, 1887), de l'ido[86] et enfin d'une véritable Babel en fait de langues internationales[87], venait répondre à ces inquiétudes chauvines et renvoyer les plaideurs. Les humains allaient parler une langue rationnelle sans anomalies ni exceptions et éclectique (quoiqu'européocentrique) en ses étymologies simplifiées. Les plus autoritaires voyaient même que les anciennes langues seraient « interdites » un jour à son profit. En tout cas, pour les théoriciens socialistes de 1900, « dans la sphère des choses intellectuelles, comme le proclame Georges Renard, l'œuvre la plus importante pour la concorde humaine, c'est la création d'une langue universelle[88] ».

Déjà Étienne Cabet, soixante-dix années plus tôt, avait indiqué que dans l'Icarie, les anciennes langues avaient été remplacées par « une langue parfaitement rationnelle qui s'écrit comme elle se parle et se prononce comme elle s'écrit ; dont les règles sont en très petit nombre et sans aucune exception ; dont tous les mots régulièrement composés d'un petit nombre de racines seulement, ont une signification parfaitement définie[89] ». Il fixait en une seule phrase la règle générale qui sera suivie par les Schleyer et les Zamenhof.

---

84. Arcès-Sacré, [pseud. de Louis Sacré] et Léon Marot. *Démonstration du socialisme par le droit naturel*, Paris, Le Prolétariat, 1890, p. 166.

85. Volapük veut dire langue du monde – de *pük*, langue, et *vola*, génitif de *vol*, monde. Simple !

86. Beaufront, Louis de et Louis Couturat. *Dictionnaire français-ido*, Paris, Impr. Chaix, 1915.

87. L'expression est d'U. Eco. Léon Bollak invente la Langue Bleue qu'il dédie « Aux Futurs États-Unis de la Civilisation, cette langue fédérale », *La langue bleue (bolak), langue internationale pratique*, Paris, La Langue bleue, 1899.

88. Georges Renard, *Le régime socialiste*, Paris, Alcan, 1898, p. 72.

89. *Voyage en Icarie. Roman philosophique et social*, 2ᵉ éd., Paris, Mallet, 1842, p. 2. Auguste Comte avait proposé un « italien systématisé par des modifications convenables ».

Beaucoup de socialistes s'étaient mis à l'esperanto par esprit internationaliste[90]. Plus encore qu'eux peut-être, les anarchistes, ennemis des frontières, pratiquaient la langue artificielle et attendaient d'elle un progrès décisif du cosmopolitisme[91]. L'esperanto a été réellement en usage et a permis notamment aux partis ouvriers européens et aux groupements libertaires de communiquer par correspondance avant 1914 sans heurter les susceptibilités des uns et des autres.

---

90. Hervé, *L'Internationalisme*, p. 165.

91. Avec des objections évidemment et des chamailles infinies propres aux milieux libertaires : « le simple bon sens n'indique-t-il pas le choix d'un idiome vivant » comme l'anglais, plutôt qu'un langage artificiel, demande le compagnon Ém. Armand, *Qu'est-ce qu'un anarchiste ?*, p. 167. Il y avait encore des querelles entre zélotes de l'Ido – seul concurrent réel de l'esperanto vers 1910 – du Spokil, de l'Idiom Neutral, de l'Adjuvento, du Dilpok, du Solréno, etc. voir débat dans l'*Almanach de la révolution 1908*, p. 41, qui préfère au bout du compte l'esperanto qui « sert la cause de la révolution [...] en facilitant la vie internationale, en donnant aux organisations ouvrières de tous les pays le moyen de s'entendre sans intermédiaire ».

VIII

JUILLET ET AOÛT QUATORZE[1]

Ce livre n'est pas une histoire ni une chronologie qui suivraient pas à pas la propagande, les manifestations antimilitaristes, les cas de sédition dans l'armée, les publications et l'évolution des hommes. Cependant ce qu'on nomme le courant antimilitariste en France (et en Belgique), si intransigeant et véhément pendant une douzaine d'années, mais affronté en juillet 1914 à une *épreuve du réel* qui va le dissoudre en une débandade soudaine accompagnée de reniements ahurissants, pose un problème – central à toute analyse politique – qui est la rencontre de l'idéologie et de la dure réalité, ce que dans un autre contexte, celui de la névrose « individuelle », les lacaniens appellent « la malencontre du réel ». Nous n'avons pas à passer jugement et tout jugement moral ne pourrait que se réduire à une ambivalence tant soit peu pharisaïque : tant de radicalité et de courage souvent, une si totale impuissance et une si profonde illusion ! Mais il faut s'efforcer de comprendre. *Neque lugere, neque detestari sed intelligere* – c'est une bonne règle.

---

1. Je tire ici largement parti de l'ouvrage fondamental de J.-J. Becker, *1914. Comment les Français sont entrés en guerre*, Paris, Presses de la FNSP, 1977.

En principe, depuis 1912, l'antimilitarisme en France disposait d'un objet neuf de colère et de mobilisation populaire : la Loi de trois ans qui confirmait que la guerre se rapprochait. Cependant depuis quelques années déjà, la CGT avait dû, en renâclant, reconnaître que quelque chose ne passait pas ou ne passait plus. Jean-Jacques Becker, dans son *1914 : Comment les Français sont entrés en guerre*, admet l'impact qu'a eu la propagande antimilitariste y compris dans ses effets les plus déstabilisants pour l'armée : on relève un nombre croissant au cours de ces années de cas d'insoumission, de mutinerie et de désertion. Il admet que le milieu ouvrier, pénétré de cette propagande, éprouvait une forte et presque unanime hostilité envers l'institution militaire, mais il conclut aussi que l'antipatriotisme n'a pas pris. Les thèses insurrectionnelles en cas de mobilisation n'ont été prises au sérieux que par de minces « minorités agissantes » – lesquelles dissimulaient en quelque sorte aux leaders syndicaux et aux propagandistes de l'extrême gauche ce que de toute façon ils ne souhaitaient pas voir : le patriotisme ancré et le peu de résolution révolutionnaire du prolétariat français. « Le syndicalisme avait incontestablement fabriqué des antimilitaristes, résume-t-il, il est beaucoup plus douteux qu'il ait produit de réels antipatriotes[2]. » Ce n'est pas que la propagande que j'ai décrite dans ce livre ait faibli au cours des années qui précèdent la guerre, et si on ne tenait compte que des publications révolutionnaires, pratiquant obstinément la méthode Coué, on verrait, jusqu'en 1914, persister l'expression la plus résolue de l'antipatriotisme socialiste. Quelques mois avant le déclenchement des hostilités, paraît, signé de Pierre Bonnier, *Socialisme* (Paris, Giard & Brière, 1914) qui formule rigidement une conception du socialisme indissociablement antipatriote et antimilitariste.

Mais l'appareil du Parti SFIO, toujours mobilisé pour la paix et la concertation dans l'Internationale, n'avait cessé de s'éloigner des positions extrêmes et de l'illégalisme et de les répudier. Le gouvernement le savait et l'appréciait. « Le Parti socialiste ne pouvait être, sans excès, accusé de vouloir saboter une éventuelle mobilisation[3]. »

---

2. Becker, p. 87 ; voir aussi p. 97.
3. Becker, p. 102.

En 1912, Gustave Hervé avait pratiqué une révision stratégique ; elle ne permet pas encore de prévoir son retournement de veste d'août 1914. Il s'était mis à expliquer que, le danger militariste étant en partie écarté, il fallait abandonner la propagande insurrectionnelle au profit d'une propagande plus rassembleuse et moins incandescente. Il renonçait à l'antipatriotisme et au défaitisme dont il lui apparaissait que les masses ne voulaient pas et voyait plutôt dans le noyautage socialiste de l'armée une stratégie prometteuse. La presse bourgeoise se réjouissait : il eût semblé que les longs mois de prison avaient donné à l'excité l'occasion de réfléchir ! Hervé admettait enfin – ce que la « droite » de la SFIO lui serinait depuis longtemps – que les insurrectionnels se payaient de mots : rien n'avait jamais été préparé pour une grève générale insurrectionnelle, celle-ci se ramenait à des motions de plus en plus impavides dans les congrès. Il y avait autre chose : depuis le congrès de Stuttgart, Hervé refoulait de moins en moins bien les doutes en son for intérieur sur la résolution internationaliste et pacifiste de la *Sozialdemokratie*. Les propagandistes de l'anarcho-syndicalisme avaient pris de l'âge, pouvait-on supposer, et s'étaient assagis.

Mais il se fait aussi que, dans les masses salariées, à la même époque, une lassitude répond aux réflexions que se font les doctrinaires. « L'influence hervéiste avait cessé, se souvient un vieux syndicaliste en 1921. Cet espèce de souffle révolutionnaire, antimilitariste, anti-guerrier, antipatriote, n'avait été qu'un souffle[4]. » La CGT est d'ailleurs en crise entre 1912 et 1914 : depuis sa naissance, elle était restée très minoritaire, la majorité des salariés lui échappait, un grand nombre de groupes corporatifs « modérés » ne se reconnaissait pas dans son révolutionnarisme. Elle doit constater un piétinement du recrutement sinon un recul. Les motions antimilitaristes ne passent plus comme lettre à la poste dans les congrès, on réclame un syndicalisme économique mieux centré sur des intérêts concrets et immédiats.

---

4. Georges Dumoulin, *Les syndicalistes français et la guerre*, Paris, Biblioth. du travail, 1921, p. 8.

Vient le terrible été 1914. Je ne vais pas réécrire ni résumer le roman de Martin du Gard, mais il faut rappeler *en accéléré* les événements qui se bousculent. Le 28 juin, l'archiduc François-Ferdinand et son épouse morganatique sont assassinés à Sarajevo par un étudiant nationaliste grand-serbe. Tout bascule presque tout de suite. Les 14-15-16 juillet, la SFIO tient congrès régulier à Paris. Le calme règne encore, mais les bruits de sabre ont commencé à résonner dans toutes les capitales. Ce congrès est largement consacré à la « motion de Copenhague », c'est-à-dire au vieux thème, à la vieille thèse, inapplicable et indépassable, qui exigeait la grève générale en cas de mobilisation. Les arguments *contre* ne sont pas neufs, mais leurs partisans refusent cette fois de se laisser ébranler : il ne faut pas voter, répètent-ils, une motion de plus qu'on sait ne pas pouvoir appliquer. Jaurès, toujours soucieux de compromis, propose une motion encore plus irréaliste sous des airs de prudence : grève générale « simultanément organisée » pour « imposer l'arbitrage ». Cette motion est votée par 1 690 voix contre 1 174 et 83 abstentions, le parti sort divisé.

Fin juillet, la Monarchie bicéphale adresse un ultimatum à la Serbie qui le rejette ; l'Autriche-Hongrie déclare alors la guerre à la Serbie le 28. Toutes les autres puissances entrent en guerre dans les journées qui suivent. La CGT rappelle sa thèse officielle, la Grève générale, mais les dirigeants sont tout de suite tenaillés par la peur, les hésitations. Dans l'atmosphère d'exaltation patriotique de ces journées, leurs convictions sont ébranlées. *La Bataille syndicaliste* publie des « Appels au peuple de Paris ». Aucun mot d'ordre précis n'est cependant donné. En allant vers le 2 août, les dirigeants, d'abord décontenancés, sont tiraillés entre la doctrine officielle qu'ils devraient maintenir et leur propre patriotisme longtemps refoulé. L'échec de l'opposition à la guerre est évident *dès le 28*. On sent dès cette date que le parti SFIO comme la fédération syndicale glisseront en quelques jours vers l'Union sacrée[5].

---

5. Voir Becker, 205 avec de nombreuses citations.

Le dernier éditorial de Jaurès dans *L'Humanité* jette des mots vagues sur un profond désarroi : « Le tumulte des événements se précipite dans un monde obscur et affolé[6]... » Encore, Jaurès n'est-il pas tétanisé comme les cégétistes. Il agit, il essaie tous les derniers recours : il est à Bruxelles où se trouve le secrétariat de l'Internationale, le 29 et y prononce son dernier discours : confiance dans la *Sozialdemokratie*, tout faire pour empêcher la guerre. Il est assassiné au Café du Croissant, près des bureaux de *L'Humanité*, le 31. Les idéologues qui ont armé le bras de son assassin, Raoul Villain, ne sont pas loin. Au premier rang, Urbain Gohier qui vient de publier un livre contre Jaurès qui est un appel au meurtre[7]. Gohier est le prototype du confusionnisme proto-fasciste, droite et gauche extrêmes mêlés : homme de ressentiment et de haine, venu de l'anarchie, réclamant un Chef pour la France, antiparlementaire, patriote, raciste, antisémite, populiste haïssant la SFIO, féministe aussi tant qu'à faire, Gohier a sorti quelques semaines auparavant un pamphlet, *La sociale*, avec en couverture un portrait de Jaurès en casque à pointe. Le libelle dénonce « la bande qui s'intitule Parti socialiste [...] appuyée sur l'Allemagne et sur les Juifs [...] Les meneurs de la troupe sont des scélérats capables et coupables des pires crimes de droit commun[8]. » *L'Humanité* est une entreprise de chantage et de meurtre, Jaurès est un agent stipendié de Berlin, c'est prouvé : « Frappez à la tête ou vous serez lâche et vous ne ferez qu'une vaine besogne. [...] S'il y a un chef en France qui soit un homme, M. Jaurès sera " collé au mur " en même temps que les affiches de mobilisation[9]. » Urbain Gohier a été exaucé

---

6. 28.7.1914.

7. Urbain Gohier, *La sociale*, Paris, 11 rue du Palais, 1914. On peut recommander quelques livres antérieurs de Gohier qui sont un vrai laboratoire pour étudier la genèse de la « sensibilité » fasciste établie sur un tuf gauchiste : *La fin d'un régime, les faillites, le personnel, les mœurs*, Paris, Chamuel, 1895 ; *Leur république*, Paris, L'auteur, 1906 ; *Aux femmes*, Paris, Temps nouveaux, 1905. (C'est un éditeur anarchiste ici qui le publie !) ; *Le nouveau pacte de famine*, Paris, Chamuel, 1897 ; *Pour nos victimes, la femme, l'enfant*, Paris, Messein, 1910 ; *La révolution vient-elle ? Contre l'argent. Sur la guerre [...]*, Paris, L'Auteur, [1906] ; *La Terreur juive*, Éd. augm., Paris, L'Édition, 1909 ; *Retournons à la Terre ! C'est le salut !* Paris, Larousse, s.d.

8. Page 8-9. « Tous les efforts actuels du Parti socialiste tendent à désarmer la France pour la livrer sans défense à l'Allemagne » (p. 56).

9. Pages 10 et 25.

– et Charles Maurras dans un autre secteur politique, qui écrivait à peu près les mêmes choses mais avec plus de style et d'atticisme à *L'Action française*.

Le 2 août, la République française mobilise et *La Bataille syndicaliste*, dans une adresse « Aux Prolétaires de France », constate platement son impuissance, « nous ne pouvons que déplorer le fait accompli ». Mais la presse extrémiste, elle, donne aussitôt des exemples de retournements de veste spectaculaires. Almereyda, anarchiste, ancien bras droit d'Hervé, directeur du *Bonnet rouge*, quotidien, écrit le 3 août dans son enthousiasme pour l'Union sacrée naissante : « Socialistes, mes frères, reléguons notre *Internationale* et notre drapeau rouge » ! Les obsèques de Jaurès le 5 sont en fait la première manifestation publique de ce ralliement total. Jouhaux, secrétaire de la CGT, y prononce un discours du plus brûlant patriotisme. *L'Humanité* se déculpabilise en exprimant son « dégoût » des socialistes allemands et son vague espoir que la guerre amènera une paix juste et le triomphe de la démocratie en Europe. Le vieux Pierre Kropotkine, le plus ancien, avec Jean Grave, des théoriciens de l'Anarchie, se rallie patriotiquement lui aussi. Jules Guesde est malade, il l'est fréquemment depuis de nombreuses années, il va être nommé, pour y représenter la SFIO, ministre sans portefeuille du gouvernement d'Union sacrée.

De tous les retournements, c'est celui de Gustave Hervé qui est le plus spectaculaire. Il vire du pacifisme inconditionnel à la haine féroce de l'Allemagne et au jusqu'auboutisme entre le 28 juillet et le 4 août. Dès le numéro du 29, *La Guerre sociale*, quotidienne, avait mis de l'eau dans son vin, réaffirmant le principe en renonçant déjà aux moyens :

Ni insurrection ! Ni grève générale !
À bas la guerre !

Le lendemain, le journal adopte le ton « révolutionnaire de quatre-vingt-treize » et il la fait au culot en s'indignant de quiconque qui exprimerait la moindre surprise :

Le Patriotisme révolutionnaire

[...] Finie la légende monstrueuse et inepte qui nous représentait comme les saboteurs de la défense nationale. [...] Notre patriotisme révolutionnaire [sera] le cas échéant le grand ressort et la sauvegarde suprême de la patrie en danger.

Le 31, Hervé en éditorial exige des socialistes le reniement des thèses qu'il avait cherché pendant toutes ces années à leur imposer : il faut, dit-il, « déclarer officiellement, solennellement, qu'on ne fera pas la grève générale préventive contre la guerre menaçante et qu'on ne fera pas la grève générale insurrectionnelle contre la guerre déclarée ». Les socialistes doivent marche comme un seul homme à la frontière. Le 1er août, la mort de Jaurès est mise au service de la ligne nouvelle :

Défense nationale d'abord !
Ils ont assassiné Jaurès,nous n'assassinerons pas la France.

Tous les titres des jours qui suivent sont empruntés au répertoire patriotique : « Sambre-et-Meuse » (6/8), « Vous n'aurez pas l'Alsace et la Lorraine » (8/8)... Hervé se surpasse en faisant le 2 août le vibrant éloge du vieux poète revanchard Paul Déroulède, l'auteur des *Chants du soldat*, figure de l'extrême droite, mort quelques mois avant le « choc réparateur ».

Déroulède ! Déroulède ! Le drapeau de Valmy flotte sur Mulhouse !

Le jour même, Hervé demande à s'engager quoique réformé. Il va retirer son journal au titre, il est bien vrai, devenu fâcheux dans les circonstances : ce sera *La Victoire*. Le reste de la carrière de Gustave Hervé qui vivra vieux, est celle d'un patriote jusqu'auboutiste, de plus en plus à droite, qui, peu avant la Deuxième guerre, publie un pamphlet antidémocratique qui, cette fois, voit loin : *C'est Pétain qu'il nous faut !*

Les Renseignements généraux ont rassuré le gouvernement : le sentiment populaire unanime est que la France est attaquée et que la guerre est juste. Le préfet du Nord, ce foyer du guesdisme, câble à Paris le 2 août :« Plus d'antimilitaristes dans nos centres ouvriers. Pas une fausse note dans tout le département[10]. » Malvy, le ministre de l'Intérieur, a déjà décidé de ne pas appliquer le « Carnet B » qui prévoyait l'arrestation préventive d'une liste d'agitateurs antimilitaristes. Il sait que le danger s'est évanoui.

---

10. Cité par Becker, p. 338.

Après 1918, les syndicalistes-révolutionnaires sont arrivés avec deux « explications » convergentes et contradictoires de l'été 1914 : « Nous avons été débordés par le chauvinisme » et « Il y avait un patriote de 1793 qui sommeillait en chacun de nous. » L'historien actuel admet cette double « explication » qui appellerait plus qu'un constat sur la superficialité des croyances idéologiques, en particulier les plus radicales, les moins réalistes, et sur « l'irrésistible courant de ferveur patriotique qui a balayé toutes les idéologies, toutes les divergences entre Français[11] ». Car cette grande illusion unanimiste même d'août quatorze n'a eu qu'un temps. La grande guerre impérialiste a laissé plus de dix millions de morts et certains historiens pensent qu'elle ne s'est achevée, cette guerre, qu'en 1945. Ce crime inexpiable qu'ils ont vu venir, oblige à créditer les antimilitaristes d'avant 1914 de lucidité partielle et de courage ; il n'exclut pas cependant de mesurer leur aveuglement sur le possible et le faisable et d'y réfléchir rationnellement. *Blindness and Insight...*

Un syndicaliste, Georges Dumoulin, publiant ses mémoires en 1921, a eu le mérite de dire que, plutôt que d'invoquer la fatalité des circonstances, l'échec de l'antimilitarisme appelait une autocritique :

> Notre propagande antimilitariste, plus tapageuse que réelle nos a trompés. [...] Nous nous sommes trompés en nourrissant notre orgueil dans des congrès bruyants avec des motions boursouflées et pleines de suffisance[12].

---

11. J. Julliard, *Autonomie ouvrière : études sur le syndicalisme d'action directe*, Paris, Seuil/Gallimard, 1988, p. 94.

12. *Les syndicalistes français et la guerre*, Paris, Biblioth. du travail, 1921, p. 87.

BIBLIOGRAPHIES

Abréviations pour les cotes de bibliothèques et d'archives :
APP = Archives de la Préfecture de police, Paris.
ARS = Bibliothèque de l'Arsenal, Paris.
BN = Bibliothèque nationale, Paris.
BR = Bibliothèque royale Albertine, Bruxelles.
IFHS = Institut français d'histoire sociale, Paris
LC = Library of Congress, Washington.
NUC = National Union Catalogue, États-Unis
MS = Bibl. du CEDIAS – Musée social, Paris.

1. Bibliographie primaire : Pacifisme, antimilitarisme, antipatriotisme, esperantisme pacifiste et socialiste[1]

Armand, E. *Le refus de service militaire et sa véritable signification*, Paris, L'Ère nouvelle, 1904.

L'association internationale antimilitariste. Son but, ses moyens, son action, Paris, Imprimerie spéciale, 1906. IFHS[14AS552(36)

Bajer, Frédérik. *Les origines du Bureau international de la paix*, Berne, Walchil, 1904.

Bergerat, Étienne. *La terre est le domaine de l'humanité [...]. Plus de guerres !* Paris, Bernard, 1904. BN[8°R19111

---

1. Plusieurs autres ouvrages sont référés en note dans le corps du texte.

Blanqui, Auguste. *L'armée esclave et opprimée*, Paris, « Ni Dieu, ni maître », 1880. IFHS[14AS584(10)

Bloch, Jean de. *Impossibilités techniques et économiques d'une guerre entre grandes puissances*, Paris, Dupont, 1899. MS[18316.Br.8°

Bollack, Léon. *Comment et pourquoi la France doit renoncer à l'Alsace-Lorraine. Contre arbitrage et désarmement*, Paris, Taride, 1905.

Bonnier, Pierre. *Socialisme*, Paris, Giard & Brière, 1914.

Bonzon, Jacques. *Le procès des antimilitaristes. Plaidoirie de Me Bonzon*, Paris, « La Liberté d'opinion », 1907. [broch. à 20 c.] MS[14576B-8/H

Bourgeois, Léon. *Pour la Société des Nations*, Paris, Fasquelle, 1910. MS[38040V12°

Chapelier, Émile et Marin Grassy. *Les anarchistes et la langue internationale « espéranto »*, Paris, Internacia Asocio Paco-Libereco, 1907. IFHS[14ASZoZ

Colins, Jean-Guillaume. *Science sociale*, Paris, Didot et Bruxelles, Manceaux, 1857-1896. 19 vol. [les vol. 8, 9 et 10 portent le titre général de *Examen de la philosophie de Cousin* et n'ont jamais paru, le 11e vol. a été publié dans *La philosophie de l'avenir*, de la 3e année, p. 549 à la 5e année, p. 346]. BN[8°R5949

Colins, chef d'escadron [Jean-Guillaume]. *Le socialisme, ou organisation sociale rationnelle*, Paris, Prève, Chez tous les libraires, 1849. BN[Lb55 1191 et Lb55.945 – MS[4509 Br. 8/24

Colins, Jean-Guillaume. *Société nouvelle, sa nécessité*, Paris, Didot, 1857, 2 vol. ARS[8°NF6218-6219

Compère-Morel, [Adéodat] éd. *Encyclopédie socialiste, syndicale et coopérative de l'Internationale ouvrière*, Paris, Quillet, 1912-1913, 8 vol.

Conférences du Trocadéro. Exposition universelle de 1878. Congrès international des amis de la paix, Paris, Imprimerie nationale, 1880. MS[259V8°

Congrès anarchiste tenu à Amsterdam (août 1907), Paris, Delessalle, 1908. MS[16497C55

Congrès international des amis de la paix. Exposition universelle de 1878, Paris, Imprimerie nationale, 1880. MS[259.V8

Considerant, Victor. *La dernière guerre et la paix définitive en Europe*, Paris, Librairie phalanstérienne, 1850.

Considerant, Victor. *Destinées sociales*, Paris, Librairie phalanstérienne, 1847. 3 vol. [1re édition 1837-1844].

Dave, Victor. *Pacifisme et antimilitarisme*, Paris, « Les Hommes du jour », [1908]. BN[8°R Pièce 14321

Delaisi, Francis. *La guerre qui vient*, Paris, « Guerre sociale », 1911. IFHS[14AS136

Deslinières, Lucien. *L'application du système collectiviste*, préf. de J. Jaurès, Paris, Revue socialiste, 1899. BN[8°R20234

Destrée, Jules. *Les socialistes et la guerre européenne*, Bruxelles et Paris, G. Van Oest, 1916. BN[8°G.9616

Dévaldès, Manuel. *La chair à canon*, Paris, Génération consciente, 1908. BN[16°R Pièce 3247

Deville, Gabriel. *Socialisme, révolution, internationalisme*, Paris, Diamandy, 1893. MS[12088Br8°

Dézamy, Théodore. *Code de la communauté*, Paris, Prévost-Rouannet, 1842.

Deynaud, S. *L'arbitrage international et le désarmement européen*, Guise, Librairie du Familistère, s.d. MS[4676.9Br4°

Dreyfus, Ferdinand. *L'arbitrage international*, préf. de Frédéric Passy, Paris, Calmann-Lévy, 1894. MS[8569V12°

Dufour. *Le syndicalisme et la prochaine révolution*, Paris, Rivière, 1913. BN[8°R26405

Dumas, Jacques. *La colonisation, essai de doctrine pacifiste*, Paris, Giard & Brière, Bibliothèque pacifiste internationale, 1904. BR[7A65523II6

Dumas, Charles. *Libérez les indigènes ou renoncez aux colonies*, Paris, Figuière, 1913.

Dumas, Jacques. *Les sanctions de l'arbitrage international*, Paris, Pedone, 1905. MS[14375V8°

Les États-Unis d'Europe et la question d'Alsace-Lorraine. Par un Européen, Paris, Société parisienne, 1902.

Follin, H. *La marche vers la paix*, Paris, Giard, Bibliothèque pacifiste internationale, 1903. MS[12799V16°

Fontanes, Ernest. *La guerre*, préf. de Frédéric Passy, Paris, Giard & Brière, Bibliothèque pacifiste, 1904. BR[7A65523II4

Fourier, Charles. *Traité de l'association domestique-agricole, ou : attraction industrielle*, Paris, Bossange, 1822, 2 vol. MS[40672V8

Frank, Louis. *Les Belges et la paix*, Bruxelles, Lamertin, 1905. BR[III71392B(4°)

Gagneur, Louise. *Le désarmement et la question sociale*, Paris, Dentu, 1899. BN[8°R Pièce 23515

Garcin, Paul. *Les socialistes et la guerre*, Lyon, Éditions du « Clairon », 1916. BN[8°Lb.57.15486

Gohier, Urbain. *L'antimilitarisme et la paix*, Paris, L'Auteur, 1905. MS[14576B8/76

Gohier, Urbain. *L'armée contre la nation*, Paris, Revue blanche, 1899. MS[47857V12

Granjon, F. *La fraternité universelle. Projet de paix universelle*, St-Etienne, 1886. BN[8°R Pièce 3546

Grave, Jean. *La colonisation*, Paris, Temps nouveaux, 1912. MS[48632.B/8/158

Grave, Jean. *Contre la folie des armements*, Paris, Temps nouveaux, 1913. MS[14575N°52B2/74

Grave, Jean. *La grande famille. Roman militaire*, 2ᵉ éd., Paris, Stock, 1896.

Gravereaux, L. *Les discussions sur le patriotisme et le militarisme dans les congrès socialistes*, Paris, Dussardier & Frank, 1913. BN[8°F.24689

Griffuelhes, Victor. *L'action syndicaliste*, Paris, Rivière, 1908. MS[16 322 V8°

Hamon, Augustin. *Patrie et internationalisme*, Paris, Blot, 1896. MS[4710B12-24

Hersant, Julien. *L'anti-guerre, suivi de l'Acte de constitution des États-Unis du monde*, Paris, Congrès de l'humanité, 1905. ARS[Po.20636

Hervé, Gustave. *L'Alsace-Lorraine*, Paris, « La Guerre sociale », 1913. MS[21280 V16

Hervé, Gustave. *Le Congrès de Stuttgart et l'antipatriotisme*, Paris, « La Guerre sociale », [1907]. BN[8°R Pièce, 22400

Hervé, Gustave. *L'internationalisme*, Paris, Giard & Brière, 1910. MS[17784.V12

Hervé, Gustave. *Leur patrie*, Paris, Bibliothèque sociale, 1905. MS[17747V12

Hervé, Gustave. *Mes crimes, ou Onze ans de prison pour délit de presse*, Paris, « La Guerre sociale », 1912.

Hervé, Gustave. *Le remède socialiste*, Paris, « La Guerre sociale », 1908.

Hervé, Gustave. *Vers la révolution*, Paris, « La Guerre sociale », 1908.

Jauniaux, A. *Militarisme et socialisme*, Gand, Volksdrukkerij, 1910. BN[8°R.27372

Jaurès, Jean. *L'armée nouvelle*, Paris, Rouff, 1911. MS[19177V12

Jaurès, Jean. *L'organisation socialiste de l'avenir*, Gand, Volksdrukkerij, 1906.

Jaurès, Jean. *La paix et le socialisme. Le discours du citoyen Jaurès*, Gand, Volksdrukkerij, 1903. BN[8°R.27372

Jaurès, Jean. *Patriotisme et internationalisme*, Lille, Delory, 1895. MS[26608Br.16-43

Jaurès, Jean. *Le prolétariat et la guerre. Discours du citoyen Jaurès. 9 décembre 1905*, Gand, Volksdrukkerij, 1905. BN[8°R.27372

Lagardelle, Hubert. *La grève générale et le socialisme*, Paris, Cornély, 1905. MS[13484V12°

Lagardelle, Hubert, Jules Guesde et Édouard Vaillant. *Le Parti socialiste et la Confédération du travail. Discussion*, Paris, Rivière, 1908. BN[8°R 22095

La Grasserie, Raoul de. *De l'ensemble des moyens de la solution pacifiste*, Paris, Giard & Brière, 1904. BR[7A65523II5

La Grasserie, Raoul de. *Des obstacles imprévus au pacifisme*, Paris, Giard & Brière, 1914. BN[8°G Pièce 1464

La Grasserie, Raoul de. *Langue internationale pacifiste, ou Apoléma*, Paris, Leroux, 1906.

Lemonnier, Charles. *De l'arbitrage international et de sa procédure*, Genève, Imprimerie Coopérative, 1873.
BN[8°*E Pièce 1

Lemonnier, Charles. *Ligue internationale de la paix et de la liberté. Nécessité d'une juridiction internationale*, Paris, Fischbacher, 1881. BN[8°R9459

Leroy-Beaulieu, Anatole. *Rapport général sur les États-Unis d'Europe au Congrès des sciences politiques*, Paris, s.e., 1900. NUC[DLC,WaS,NN,CtY

Leroy-Beaulieu, Anatole *et al. Les États-Unis d'Europe*, Paris, Société française d'imprimerie, 1901.

Lewy, Emile. *Paix sociale et internationale*, Paris, Giard & Brière, 1911. MS[18852Br8

Lorulot, André. *L'idole patrie et ses conséquences : le mensonge patriotique, l'oppression militariste, l'action antimilitariste*, préf. de M. Broutchoux, Lens, Impr. communiste, 1907. BN[8°Lb⁵⁷14344

Maciejewski, Casimir. *La guerre, ses causes et les moyens de la prévenir*, Paris, Giard & Brière, 1912. MS[20502 Br. 8/93

Maciejewski, Casimir. *La solution du problème de la paix universelle*, Paris, Giard & Brière, 1911. MS[19362Br12°

Marchand, P. R. *Nouveau projet de traité de paix perpétuelle*, Paris, Renouard, 1842. MS[16113.V8

Marinout, Léon. *Socialisme et population*, Paris, « Génération consciente », 1913. IFHS[14AS192

Martens, F. de. *La conférence de la paix à La Haye*, Paris, Rousseau, 1900. MS[11621.Br.8°

Martens, F. de. *La paix et la guerre*, Paris, Rousseau, 1901. MS[11616.V8

Méric, Victor. *Lettre à un conscrit*, Paris, Internationale antimilitariste, 1904. [broch] IFHS[14AS170

Merle, Eugène. *Le mensonge patriotique*, Paris, « Guerre sociale », 1907. IFHS[14AS192

Moch, capit. Gaston. *Histoire sommaire de l'arbitrage permanent*, Monaco, Institut international de la paix, 1910. MS[23950V8°

Moch, Capitaine Gaston. *VIIIe Congrès universel de la paix, rapport sur la question de la langue internationale*, s.l.n.d. BN[8° X Pièce 1426

Montéhus, Gaston. *18 Chansons. Fusil, pourquoi es-tu ? Quand on a le ventre plein, À bas les prétendants ! Les ombres de la rue, Un général républicain, J'vous salue ! La vraie mendiante [...]*, Paris, Hayard, 1907. BN[8°Ye21301

Oguse, Dr. *Socialisme et néo-malthusianisme*, Paris, Bibl. du Parti socialiste, 1907.

Pelletier, Madeleine. *Idéologie d'hier : Dieu, la morale, la patrie*, Paris, Giard et Brière, 1910. MS[17783Br.12

Pouget, Émile. *L'action directe*, Paris, « La Guerre sociale », 1910. MS[14577B12/77

Pouget, Émile. *Les bases du syndicalisme*, Paris, Bibliothèque syndicaliste, s.d. MS[14577B12/76

Pouget, Émile. *La Confédération générale du travail*, Paris, Rivière, 1908. MS[16320V8

Renard, Georges. *Paroles d'avenir*, Paris, Bellais, 1904. MS[11633.V16 n° 25.

Saint-Pierre, Abbé Charles-Irénée Castel de. *Projet pour rendre la paix perpétuelle en Europe*, S.l.n.e.n.d. [1712], 2 vol. BN[*E 534-535

Saint-Simon, Claude-Henri de et Augustin Thierry. *De la réorganisation de la société européenne*, Paris, Égron, Delaunay, 1814[2].

---

2. Voir aussi Claude-Henri de Saint-Simon et Prosper Enfantin, *Œuvres de Saint-Simon et d'Enfantin publiées par les membres du Conseil institué par Enfantin pour l'exécution de ses dernières volontés*, Paris, Dentu, 1865-1878, 42 vol. MS[98764 42V8 – Ars[FE 685-723

Sax, B. *Histoire de l'arbitrage international permanent*, Paris, Dujarric, 1903. BN[8°*E772

Sembat, Marcel. *L'ouvrier et la partie*, Paris, Parti socialiste, 1905. MS[14576.B8/76

[VIIe] *Congrès socialiste international tenu à Stuttgart du 16 au 24 août 1907. Compte rendu analytique* (réimpression), Genève, Minkoff, 1985, vol. 16-17-18. MS[Usuel (réimpress. de Minkoff)

Sève, A. *Cours d'enseignement pacifiste*, préf. de Frédéric Passy, Paris, Giard & Brière, 1910. MS[18469V18°

Sève, A. *Notions d'enseignement pacifiste. (Principes et applications du pacifisme)*, Paris, Giard & Brière, 1912. MS[19557.V12

Soldats, ne tirez pas sur des grévistes pacifiques ! [...], Gand, Volksdrukkerij, 1913. BR[III30496A(20,5 X 13,5)

Sorel, Georges. *Réflexions sur la violence*, Genève, Slatkine, 1981, [republ. de l'éd., Paris, Rivière, 1908].

Sosset, Paul. *Militarisme et démocratie*, Bruxelles, Brismée, 1900. BR[II89250A24

Stefane-Pol. *Vers l'avenir et Les deux Évangiles. (Bibliothèque pacifiste internationale, I et II)*, Paris, Giard, 1903. [2 broch.] MS[12799.2V16

Tailhade, Laurent. *Discours civiques. 4 nivôse, an 109-19 brumaire, an 110*, portr. de Félix Valloton, Paris, Stock, 1902. NUC[DLC,CU

Tailhade, Laurent. *Pour la paix*, Amiens, Le goût de l'être, 1987, réédit. MS[46421 B8/154 (éd. de 1987)

Troclet, Léon. *Le catéchisme du conscrit socialiste*, Liège, Imprimerie coopérative, 1897. BR[II89260A8

Union interparlementaire pour l'arbitrage international. Compte rendu de la Xe conférence, Paris, Imprimerie officielle, 1901. MS[12993V

Verdier Winteler de Weindeck, H. *De la paix, du désarmement et de la solution du problème social*, Paris, Fischbacher, 1904. BN[8°R18965

Verfeuil, Raoul. *Pourquoi nous sommes antimilitaristes*, Villeneuve-Saint-Georges, Coopérative ouvrière, [1913]. BN[8°Lb^{57}15362

Vigné d'Octon, P. *La sueur du bournous*, Paris, « La Guerre sociale », 1911.

Yvetot, Georges. *Nouveau manuel du soldat*, Paris, 1902 et rééditions.

Périodiques

L'action antimilitariste (mensuel), Marseille, sept. 1904-janv. 1905. BN[Jo.11034

L'action directe. Organe de la CGT (hebdomadaire), Paris, 1908-... ? MS[16365PRdeCh

Almanach de la paix (annuel), Paris, Plon, attesté en 1889-1894. NUC[DLC,NcU,NN

Almanach de la question sociale et de la libre pensée. Revue annuelle du socialisme international (dir. P. Argyriadès), Paris, 1891-1903. BN[8°R10163

L'antimilitariste. Organe mensuel de la Fédération des Jeunes gardes socialistes belges, Bruxelles, ... 1900-... 1903. BR[III41292A(8°)

L'arbitrage entre nations, Paris, 1897-1901. BN[8°*E 690

L'arbitre. Organe du Comité de Paris de la Fédération internationale de l'arbitrage et de la paix, Paris, 1887-1889. BN[*E19.

La Bataille syndicaliste (quotidien), Paris, 27.4.1911-23.10.1915 – 3.11.1915-...1920. BN[G. Fol. Lc²6398

Le Bonnet rouge (dir. Almereyda), Paris, 29.11.1913-17.7.1917. BN[G. Fol. Lc²6431

Bulletin de la Ligue des catholiques belges pour la paix, Bruxelles, 1911-1914.

Conciliation internationale, Paris, puis La Flèche, 1909-1927. BN[8°*E874

Contre la guerre (bimensuel, dir. Rappoport), Paris, 23 nov. 1912-5 mars 1913. BN[Jo30240

Correspondance bimensuelle du Bureau international de la paix, Berne, ?***.

Le désarmement. Journal international, Paris, 24 fév. 1889-... 1890. BN[G. Fol. Lc²4615

Le désarmement européen et l'arbitrage international, Paris, 1885-... BN[4°R779 (= 1885)

Le désarmement général (trimestriel, dir. Martin-Ginouvier), Paris, [1896]-1900. BN[8°R14685 (...1900)

L'Égalité (quotidien, dir. Jules Roques), Paris, 8 fév. 1889-7 oct. 1891. BN[Mic.D.204(Pér.)

L'ennemi du peuple. Journal antimilitariste (gér. Kienert), Paris, 1ᵉʳ août 1903-1ᵉʳ oct. 1904. ARS[4°Jo11050 (1903) – IFHS[14ASP50 (1904)

L'ère nouvelle [devenu *Hors du troupeau*, devenu *Les Réfractaires*, devenu *Pendant la mêlée etc.*], Paris, mai 1901-... 1939. BN[JR807.50

Les États-Unis d'Europe. Journal de la Ligue internationale de la paix et de la liberté, Berne et Genève, puis Paris, 1868-[1939]. BN[Jo9450

L'Europe libre. Journal des États-Unis d'Europe, (réd. L. Tabary), Paris, 7 sept. 1870. BN[Fol. Lc²3312

Guerra alla guerra [puis *Guerre à la guerre*] (dir. A. Cipriani), Cannes puis Marseille, fév. 1889-22 juin 1889. BN[Jo85133

La Guerre sociale (dir. Gustave Hervé), Paris, 1906-... 1915. BN[G. Fol.Lc²6327

L'Humanité, (fond. J. Jaurès), Paris, 8 avril 1904 >. BN[G. folLc²6139

Le Messager de la paix. Journal mensuel du jour nouveau (mensuel), Paris, 1888-...

Le Mouvement socialiste. Revue bimensuelle internationale, Paris, 1899-1914. BN[8°R17577

Le pacifiste [*Organe du Parti de la paix*] (hebdomadaire), Paris, 25 sept. 1904-... 1921. BN[G. Fol. Lc²6341

La paix par le droit. Organe de la jeunesse internationale, Paris et Nîmes, 1890-[1934]. BN[8°R13318 (...1926)

La paix par les femmes. Organe international, Paris, avril 1905-sept. 1905. BN[8°R21906

La paix universelle. Revue indépendante de magnétisme, spiritisme, psychisme, hermétisme, Lyon, 1891-1910. BN[Fol R277 (...1905) et 8°R22204 (1906...)

Le Père Peinard. Réflecs d'un gniaff (hebdomadaire), Paris, févr. 1899-1900, [de mai 1895 à oct. 1896 remplacé par *La sociale*]. BN[8° puis Fol. Lc²5377 (= microfilm M-506)

Revue de la paix. Organe de la Société française pour l'arbitrage entre nations (mensuel), Paris, 1902-1909. BN[8°R19171

Revue libérale. Organe des progressistes des deux mondes, Paris, janvier 1889-1917. BN[8°Z11807

Le travailleurs espérantiste [puis *La laborista esperantisto* en 1936] (mensuel), Paris, ... 1912-... BN[Jo. 6165 (févr.-mars 1914, sept. 1935-avr. 1937) – Univ. de Paris, Centre de documentation internationale contemporaine [G.F.P.507 (1919-1921)]

L'union latine. Correspondance italo-ispano-française créée pour la défense des intérêts du monde latin, Paris, ... 1888-... 1891. ARS[Fol Jo874ᵗᵉʳW

L'unité humaine [paraît en supplément de *La rénovation*], Paris, mai 1889-mai 1894. BN[4°R1448

Anthologie – On peut consulter avec profit une anthologie de textes anciens :

Rabaut, Jean. *L'antimilitarisme en France : Faits et documents*, Paris, Hachette, 1975. MS[45797V8

2. Bibliographie secondaire

Ageron, Charles Robert. *L'anticolonialisme en France de 1871 à 1914*, Paris, PUF, 1973.

Angenot, Marc. *Colins et le socialisme rationnel*, Montréal, Presses de l'Université de Montréal, 1999.

Angenot, Marc. *Les grands récits militants des 19ᵉ et 20ᵉ siècles : religions de l'humanité et sciences de l'histoire*, Paris, L'Harmattan, 2000.

Aref, Mahmoud. *La pensée sociale et humaine de Victor Hugo*, Genève, Slatkine, et Paris, Champion, 1979.

Auclair, Marcelle. *La vie de Jean Jaurès, ou la France d'avant 1914*, Paris, Seuil, 1972.

Baudissin, Wolf Wilhelm. *Nationalismus und Universalismus*, Berlin, 1913. [thèse] BN[4° θBerl. 140

Becker, Jean-Jacques. *1914. Comment les Français sont entrés en guerre*, Paris, Presses de la FNSP, 1977.

Becker, Jean-Jacques. « Antimilitarisme et antipatriotisme en France avant 1914 : le cas de Gustave Hervé », *Mélanges en l'Honneur de J.-B. Duroselles*, Paris, 1986, p. 101-113.

Bénichou, Paul. *Le temps des prophètes*, Paris, Gallimard, 1977.

Berta, Luigi *et al.* « *La Guerre sociale* » *: un journal " contre ". La période héroïque, 1906-1911*, Paris, Nuits rouges, 1999.

Boissier, Pierre. *Histoire du comité international de la Croix-rouge*, Genève, Institut Henry-Dunant, 1978.

Brunschwig, Henri. *Mythes et réalités de l'impérialisme. Le colonialisme français, 1871-1914*, Paris, Armand Colin, 1960.

Clarke, Ignatius F. *Voices Prophesying War, 1763-1984*, Oxford, Oxford Uuniversity Press, 1966.

Cohen, Yolande. *Les jeunes, le socialisme et la guerre : histoire des mouvements de jeunesse en France*, Paris, L'Harmattan, 1989.

Demeulenaere-Douyère, Christiane. *Paul Robin (1837-1912), un militant de la liberté et du bonheur*, Paris, Publisud, 1994.

Drachkovitch, Milorad. *Les socialismes français et allemands et le problème de la guerre. 1870-1914*, Genève, Droz, 1953.

Dubois, J. *Le vocabulaire politique et social en France de 1869 à 1872 à travers les œuvres des écrivains, les revues et les journaux*, Paris, Larousse, 1962.

Dumoulin, Georges. *Les syndicalistes français et la guerre*, Paris, Biblioth. du travail, 1921.

Duprat, Catherine. *Le temps des philanthropes : la philanthropie parisienne des Lumières à la monarchie de Juillet*, Paris, Éditions du CTHS, 1993.

Eco, Umberto. *La recherche de la langue parfaite dans la culture européenne*, trad. de l'ital., Paris, Seuil, 1994.

Epstein, Beryl et Sam. *Histoire de la Croix-rouge internationale*, Strasbourg, Nouveaux Horizons, 1964.

Fiechter, J.-J. *Le socialisme français de l'Affaire Dreyfus à la Grande Guerre*, Genève, Droz, 1965.

Girardet, Raoul. *Le nationalisme français, 1871-1914*, Paris, Armand Colin, 1966.

Grossi, Verdiana. *Le pacifisme européen, 1889-1914*, Bruxelles, Bruylant, 1994.

Guy-Grand, Georges. *La philosophie nationaliste*, Paris, Grasset, 1911.

Histoire de la Deuxième Internationale, Genève, Minkoff, 1985-..., 23 vol. [recueil anastalt. des documents].

Hobsbawn, Eric J. *The Age of Empire 1875-1914*, New York, Pantheon Books, 1987.

Julliard, Jacques. *Autonomie ouvrière : études sur le syndicalisme d'action directe*, Paris, Seuil/Gallimard, 1988.

Le Bras, Hervé. *Marianne et les lapins. L'obsession démographique*, Paris, Orban, 1991.

Masur, Gerhard. *Prophets of Yesterday : Studies in European Culture, 1890-1914*, New York, Macmillan, 1961.

Milner, Susan. *The Dilemnas of Internationalism : French Syndicalism and the International Labour Movement, 1900-1914*, Oxford, Berg, 1990.

Reybaud, Louis. *Études sur les réformateurs socialistes modernes*, Paris, Guillaumin, 1841. Rééd. 1848, 1856 (6ᵉ).

Ronsin, Francis. *La grève des ventres : propagande néo-malthusienne et baisse de la natalité en France*, Paris, Aubier-Montaigne, 1980.

Yaguello, Marina. *Les fous du langage : des langues imaginaires et de leurs inventeurs*, Paris, Seuil, 1984.

TABLE DES MATIÈRES

AGMV Marquis

MEMBRE DE SCABRINI MEDIA

Québec, Canada
2003